SEM PLUMAS

Livros do mesmo autor na Coleção **L&PM** POCKET:

Adultérios
Cuca fundida
Que loucura!
Sem plumas

WOODY ALLEN

SEM PLUMAS

Tradução de RUY CASTRO

www.lpm.com.br

L&PM POCKET

Coleção **L&PM** POCKET, vol. 88

Texto de acordo com a nova ortografiia.

Título em inglês: *Without Feathers*
Parte dos textos incluídos neste livro foram publicados por *The New Yorker*, *The Republic* e *The New York Times*.

Este livro foi publicado pela L&PM Editores, em formato 14x21cm, em 1979.
Primeira edição na Coleção **L&PM** POCKET: fevereiro de 1998
Esta reimpressão: dezembro de 2012

Tradução: Ruy Castro
Capa: Ivan Pinheiro Machado sobre obra de Roy Lichtenstein, Vicky, 1964. (Berlim, Nationalgalerie, Aix-la-Chapelle, Coleção Ludwig)
Revisão: Delza Menin e Ruiz Renato Faillace

ISBN 978-85-254-0731-3

A432s Allen, Woody,1935- pseud
Sem plumas / Allen Stewart Konigsberg; tradução de Ruy Castro – Porto Alegre: L&PM, 2012.
192p. ; 18 cm – (Coleção L&PM POCKET)

1. Ficção norte-americana-Humor. 2. Konigsberg, Allen Stewart, 1935-. I. Título. II. Série.

CDD 817
CDU 820 (73)-7

Catalogação elaborada por Izabel A. Merlo, CRB 10/329.

Rua Comendador Coruja, 314, loja 9 – Floresta – 90.220-180
Porto Alegre – RS – Brasil / Fone: 51.3225.5777 – Fax: 51.3221.5380

Pedidos & Depto. Comercial: vendas@lpm.com.br
Fale conosco: info@lpm.com.br
www.lpm.com.br

Impresso no Brasil
Primavera de 2012

“A esperança é a coisa com plumas...”

Emily Dickinson

Sumário

Excertos de um Diário...

A seguir, apresentamos trechos do diário secreto de Woody Allen, a ser publicado postumamente ou depois de sua morte – o que vier primeiro.

Passar a noite está ficando cada vez mais difícil. Hoje de madrugada, tive a estranha sensação de que alguns homens estavam entrando em meu quarto para me ensaboar com xampu. Por quê? Fiquei imaginando que via formas nas sombras e, às três da manhã, a camiseta que eu havia jogado sobre a cadeira parecia o kaiser de patins. Quando finalmente consegui dormir, tive de novo aquele horrível pesadelo no qual uma marmota tenta roubar o meu prêmio na rifa. Que desespero!

Acho que minha tísica piorou. Minha asma também. O chiado no peito vai e volta, e fico zonzo com frequência cada vez maior. Dei para sufocar e desmaiar violentamente. Meu quarto é úmido e me faz sentir palpitações e calafrios. Notei também que estou sem lenços. Será que isto nunca vai terminar?

Uma ideia para um conto: Um homem acorda e descobre que seu papagaio foi nomeado ministro da

Agricultura. Morre de inveja e tenta suicidar-se, mas seu revólver é daqueles que disparam uma bandeirinha com a palavra "bum!". A bandeirinha acerta seu olho e ele sobrevive, passando a levar uma vida monástica, na qual se dedica aos pequenos prazeres da vida, tais como plantar cenouras ou sentar-se sobre bueiros.

Pensamento: Por que o homem mata? Para comer, é claro! E não apenas para comer: podem ficar certos de que há sempre uma brahma na jogada.

Devo me casar com W.? Só se ela me disser as outras letras do seu nome. E sua carreira? Como posso obrigar uma mulher tão linda a abandonar o pugilismo?

Tentei de novo o suicídio – desta vez molhando o nariz e enfiando-o na tomada. Infelizmente houve um curto-circuito e limitei-me a carambolar na geladeira. Ainda obcecado pela ideia da morte, não consigo sair da fossa. Fico me perguntando se haverá vida depois da morte e, se houver, se eles me permitirão chegar ao fim dos meus dias.

Encontrei meu irmão num enterro. Não nos víamos há quinze anos, mas, como sempre, ele tirou do bolso um saquinho de bolas de gude e me bateu na cabeça com ele. O tempo ajudou-me a compreendê-lo melhor. Hoje sei que sua observação de que eu era "apenas um verme nojento condenado ao extermínio" foi dita mais de pena do que de raiva. Sou obrigado a reconhecer: ele sempre foi muito mais brilhante do que eu – mais inteligente, mais culto, mais educado. É um mistério como trabalha até hoje na drogaria.

Uma ideia para um conto: Um bando de castores toma de assalto o Carnegie Hall e encena *Wozzeck.* (O tema é forte. Como deve ser a estrutura?)

Meu Deus, por que me sinto tão culpado? Será pelo ódio a meu pai? Talvez tenha alguma coisa a ver com o incidente do bife à milanesa. Seja como for, o que o bife estava fazendo em sua carteira? Se eu tivesse ouvido seus conselhos, estaria fabricando chapéus até hoje. Lembro-me bem de suas palavras: "Fabricar chapéus – isto é que é profissão!". Quando lhe disse que meu sonho era ser escritor, ele respondeu: "A única coisa que você poderia escrever seria em colaboração com uma coruja!". Nunca descobri o que ele queria dizer com isso. Que homem triste! Quando minha primeira peça, *Um Quisto para Gus*, foi montada no colégio, compareceu à estreia usando casaca e máscara contra gases.

Hoje vi um pôr de sol cheio de vermelhos e amarelos, e pensei "Puxa, como sou insignificante!". O interessante é que ontem pensei a mesma coisa, embora estivesse chovendo. Voltei a me odiar e a pensar em suicídio – desta vez respirando profundamente na presença de um corretor de seguros.

Um conto: Um homem acorda pela manhã e descobre-se transformado nos seus próprios suspensórios. (Esta ideia pode funcionar em vários níveis. Psicologicamente, é a quintessência de Kruger, o discípulo de Freud que descobriu sexualidade no toucinho.)

Emily Dickinson enganou-se redondamente. A esperança não é "a coisa com plumas". A coisa com plumas é meu sobrinho. Preciso levá-lo a um especialista em Zurique.

Decidi romper meu noivado com W. Ela não entende o que escrevo e disse ontem à noite que a minha *Crítica da Realidade Metafísica* era um plágio de *Aeroporto*. Discutimos e ela voltou a falar em filhos, mas convencia-a de que seriam muito jovens quando nascessem.

Será que acredito em Deus? Acreditava, até o acidente de mamãe. Ela tropeçou num prato de almôndegas e nunca mais foi a mesma. Ficou em coma durante meses, incapaz de fazer qualquer coisa, exceto cantar *Granada* para um bacalhau imaginário. O que terá tornado tão aflita esta mulher no apogeu de sua vida – uma mulher que, na juventude, ousou desafiar convenções, casando-se com a cabeça coberta por uma sacola de supermercado? Além disso, como posso acreditar em Deus, quando, na semana passada, prendi a língua no rolo da máquina de escrever? Sou assolado por dúvidas. E se tudo for uma ilusão e nada existir? Nesse caso, não há a menor dúvida de que paguei demais pelo tapete novo. Se, pelo menos, Deus me desse algum sinal! Como, por exemplo, fazendo um grande depósito em meu nome num banco suíço.

Tomei café com Melnick hoje. Ele me falou de sua ideia a respeito de obrigar todos os funcionários públicos a se vestirem como galinhas.

Ideia para uma peça: Um personagem baseado em meu pai, só que com o dedão do pé menos agressivo. Seria mandado para a Sorbonne a fim de estudar acordeão. No final, morreria sem realizar seu único sonho: ser enterrado sentado. (Já estou imaginando até um belo clímax para o 2º ato: dois anões descobrem uma cabeça cortada num saco de bolas de vôlei.)

Ao dar minha tradicional caminhada hoje à tarde, tive mais pensamentos mórbidos. O que há na morte para me deprimir tanto? Melnick diz que a alma é imortal e que continua a viver sem o corpo. Mas, se minha alma pode existir sem o corpo, todas as minhas roupas ficarão folgadas. Ora, bolas.

Não tive que romper o noivado com W., porque, por sorte, ela fugiu para a Finlândia com um engolidor de cobras. Talvez tenha sido melhor assim, embora eu tivesse sido acometido imediatamente daqueles ataques nos quais tusso pelas orelhas.

Ontem à noite, queimei todas as minhas peças e poemas. Ironicamente, no momento em que incendiava a minha obra-prima, O *Pinguim Negro,* o quarto pegou fogo, e agora estou sendo processado por dois homens chamados Pinchunk e Schlosser. Kierkegaard tinha razão.

Examinando Fenômenos Psíquicos

Não há dúvida de que o Além existe. O problema é saber a quantos quilômetros fica do centro da cidade e até que horas fica aberto. Fatos inexplicáveis ocorrem constantemente. Um homem vê espíritos. Outro ouve vozes. Um terceiro acorda sobressaltado e se descobre de olhos abertos. Quantos de nós já não sentimos uma mão gelada em nossa nuca quando estamos sozinhos em casa à noite? (Eu nunca, graças a Deus, mas muitos já.) O que há por trás destas experiências? Ou na frente delas, se preferirem? Será verdade que algumas pessoas conseguem prever o futuro ou comunicar-se com os mortos? E depois da morte, ainda será necessário tomar banho?

Felizmente, todas estas perguntas sobre fenômenos psíquicos estarão sendo respondidas por um livro a sair brevemente, intitulado *Bu!*, de autoria do Dr. Osgood Mulford Twelge, o conhecido parapsicólogo e professor de ectoplasma da Universidade de Columbia. O Dr. Twelge compilou uma série notável de incidentes sobrenaturais, cobrindo todo o leque de fenômenos no gênero – da transmissão de pensamento à bizarra experiência de dois irmãos em diferentes partes do globo, um dos quais tomava banho e quem ficava limpo era o outro.

A seguir, apresento uma amostra de alguns dos casos mais célebres reunidos pelo Dr. Twelge, juntamente com seus comentários.

Aparições

"No dia 16 de março de 1882, o Sr. J. C. Dubbs acordou de madrugada e viu seu irmão Amos, que havia morrido há quinze anos, sentado ao pé da cama, depenando galinhas. Dubbs perguntou-lhe o que estava fazendo ali e este disse que ele não se preocupasse, porque continuava morto e tinha vindo apenas para o fim de semana. Dubbs perguntou a seu irmão como era o outro mundo e este respondeu: 'Não muito diferente de Cleveland'. Disse ainda que tinha voltado para transmitir-lhe um recado: que combinar terno azul com gravata verde é uma gafe horrível.

"Naquele momento, a criada de Dubbs entrou no quarto e viu Dubbs conversando com 'uma névoa leitosa e disforme' que a fez lembrar-se de Amos Dubbs, só que um pouco mais atraente. Finalmente, o fantasma pediu a Dubbs que os dois cantassem em dueto uma ária do *Fausto,* o que fizeram com grande fervor. Pela manhã, o fantasma saiu através da parede, e Dubbs, tentando imitá-lo, quebrou o nariz."

Este parece ser um clássico caso do fenômeno da aparição. Segundo o depoimento de Dubbs, o fantasma voltou mais uma vez e fez a Sra. Dubbs levitar sobre a mesa de jantar durante vinte minutos, até deixá-la cair dentro do ensopado. É interessante notar que os espíritos têm uma tendência a certas brincadeiras de mau gosto, o que A. F. Childe, o místico britânico, atribui a um forte sentimento de inferioridade pelo fato de estarem mortos. As *aparições* são frequentemente associadas a pessoas que desencarnaram de maneira estranha. Amos Dubbs, por exemplo, morreu em circunstâncias misteriosas, quando um fazendeiro plantou-o por engano junto com os nabos.

Separação da Alma

O Sr. Albert Sykes narra a seguinte experiência:

"Eu estava comendo biscoitos com alguns amigos, quando percebi que minha alma saiu de meu corpo e foi dar um telefonema. Por alguma razão, a chamada era para uma companhia de fibras de vidro. Minha alma então retornou ao corpo e ficou quieta por uns vinte minutos, esperando que ninguém fizesse perguntas indiscretas. Quando a conversa começou a girar em torno de aposentadorias, ela saiu de novo e foi dar uma volta pela cidade. Estou convencido de que foi à Estátua da Liberdade e a um musical na Broadway. Em seguida, entrou num restaurante e fez uma despesa de 68 dólares. Então decidiu voltar para o meu corpo, mas não conseguiu táxi. Finalmente, veio a pé pela Quinta Avenida e ainda chegou a tempo de pegar o telejornal. Eu sabia que ela estava entrando no meu corpo, porque senti um súbito calafrio e ouvi uma voz dizendo: 'Voltei. Quer me passar aquelas uvas?'.

"Este fenômeno me aconteceu várias vezes desde então. Certa vez, minha alma foi a Miami passar um fim de semana. De outra feita, chegou a ser presa quando foi apanhada roubando uma gravata no Macy's. Na quarta vez, foi o meu corpo que abandonou minha alma, embora tenha se limitado a ir a um salão de massagem e voltar correndo."

A separação da alma era muito comum por volta de 1910, quando diversas *almas* foram vistas vagando pela Índia, à procura do consulado americano. O fenômeno é parecido com o da transubstanciação, um processo pelo qual uma pessoa subitamente se desmaterializa e se rematerializa em outra parte do mundo. Não é das piores maneiras de viajar, embora se tenha de esperar cerca de meia hora pela bagagem. O caso mais impressionante de transubstanciação foi o de Sir Arthur Nurney, que desapareceu enquanto tomava banho e apareceu repentinamente no naipe de cordas da Orquestra Sinfônica de Viena. Permaneceu durante 27 anos como primeiro-violino da orquestra, embora soubesse tocar apenas *Eu Fui no Tororó,* e desapareceu certo dia durante uma tocata de Mozart, reaparecendo na cama ao lado de Winston Churchill.

Precognição

O Sr. Fenton Allentuck descreve o seguinte sonho precognitivo:

"Fui dormir à meia-noite e sonhei que estava jogando biriba com um aspargo. De repente, o sonho mudou e vi meu avô a ponto de ser atropelado por um caminhão ao dançar uma valsa com um manequim de vitrina no meio da rua. Tentei gritar, mas, quando abri a boca, produzi um som de sinos e o caminhão passou em cima dele.

"Acordei gelado e corri à casa de meu avô para perguntar-lhe se tinha planos de valsar no meio da rua com um manequim. Ele disse que evidentemente não, embora estivesse pensando em disfarçar-se de taxidermista, a fim de enganar seus inimigos. Aliviado, voltei para casa. Quando cheguei, fui informado de que meu avô havia escorregado num sanduíche de salada de galinha e despencado pela janela."

Sonhos precognitivos são muito frequentes para serem atribuídos à mera coincidência. No caso em pauta, um homem sonha com a morte de um parente e esta acontece. Nem todos têm tanta sorte. J. Martinez, de Kennebunkport, Maine, sonhou que havia ganho o Sweepstake. Quando acordou, sua cama estava flutuando no meio do oceano.

Transes

Sir Hugh Swiggles, o cético, relata uma interessante experiência numa sessão espírita:

"Estávamos na casa de Madame Reynaud, a conhecida médium, que nos mandou sentar à mesa e juntar as mãos. O Sr. Weeks não conseguia parar de rir, obrigando Madame Reynaud a dar-lhe com a tábua de Ouija na cabeça. As luzes foram apagadas e Madame Reynaud tentou comunicar-se com o marido da Sra. Marple, que falecera durante uma ópera, quando sua barba incendiou-se. Segue-se uma transcrição exata do que foi dito naquela mesa.

Sra. Marple: O que está vendo?

Médium: Vejo um homem de olhos azuis e com uma língua de sogra na boca.

Sra. Marple: É meu marido!

Médium: Seu nome é... Robert. Não... Richard.

Srta Marple: Quincy!

Médium: Quincy! Isso mesmo!

Sra. Marple: O que mais está vendo?

Médium: Ele é careca, mas usa uma camuflagem de folhas na cabeça, para que ninguém note.

Sra. Marple: Sim! Exatamente!

Médium: Por alguma razão, está segurando um objeto... Parece um lombo de porco.

Sra. Marple: Foi meu presente de aniversário para ele! Pode fazê-lo falar?

Médium: Fale, espírito, fale.

Quincy: Claire, sou eu, Quincy.

Sra. Marple: Oh, Quincy! Quincy!

Quincy: Quanto tempo leva a galinha no forno para ficar bem assada?

Sra. Marple: Esta voz! É ele!

Médium: Concentrem-se todos.

Sra. Marple: Quincy, querido, estão te tratando bem?

Quincy: Tudo joia, exceto que a lavanderia leva quatro dias para devolver a roupa.

Sra. Marple: Quincy, tem saudades de mim?

Quincy: O quê? Ahn, quero dizer, é claro. Bom, tenho de me mandar...

Médium: Eu o estou perdendo. Está se desfazendo...

Considero esta sessão capaz de resistir aos mais rigorosos testes de credibilidade, a não ser pelo insignificante detalhe de que um toca-discos foi encontrado debaixo da saia de Madame Reynaud.

Vidência

Um dos mais impressionantes casos de vidência é o do conhecido parapsicólogo grego Achille Londos. Londos percebeu que possuía "poderes excepcionais" aos dez anos, quando se deitou na cama e, concentrando-se, fez a dentadura postiça de seu pai saltar-lhe da boca. Depois, quando uma vizinha queixou-se de que seu marido estava desaparecido há três semanas, Londos disse-lhe que procurasse no forno – onde o homem foi, de fato, encontrado tricotando. Londos podia concentrar-se no rosto de uma pessoa e imprimir a imagem num rolo comum de filme kodak, embora nunca tivesse conseguido que a pessoa saísse sorrindo no retrato.

Em 1964, foi chamado a ajudar a polícia na captura do Estrangulador de Düsseldorf, um tarado que sempre deixava uma rosca frita no peito de suas vítimas. Depois de cheirar um lenço, Londos conduziu a polícia a Siegfried Lenz, enfermeiro de um veterinário especializado em perus. Lenz confessou que era o Estrangulador e delicadamente pediu seu lenço de volta.

Londos é apenas uma das muitas pessoas com poderes paranormais. C. N. Jerome, o parapsicólogo de Newport, Rhode Island, afirma conseguir adivinhar qualquer número que esteja sendo pensado por um caxinguelê.

Predição

Finalmente, chegamos a Aristenides, um conde do século XVI, cujas profecias continuam a deixar perplexos até os mais céticos. Alguns exemplos típicos:

"Duas nações entrarão em guerra, mas só uma delas vencerá".

(Os especialistas acreditam que ele se referia à Guerra Russo-Japonesa de 1904-05 – uma espantosa profecia, principalmente considerando-se que foi feita em 1540.)

"Um homem em Istambul terá seu chapéu estragado." (Em 1860, Abu Hamid, um soldado otomano, mandou seu quepe para a lavanderia e ele voltou manchado.)

“Vejo um grande homem que, um dia, inventará uma peça de roupa para ser usada sobre as calças, para quando se estiver cozinhando. Será chamada de *abental* ou *aventale.”*

(Aristonides referia-se, naturalmente, ao avental.)

“Um líder surgirá na França. Será baixinho e muito abusado.”

(Uma referência a Napoleão ou a Marcel Lumet, um anão do século XVIII que armou um plano para lambusar Voitaire *com sauce béarnaise.)*

“No Novo Mundo haverá um lugar chamado Califórnia, e um homem chamado Joseph Cotten será famoso.”

(Dispensam-se maiores explicações.)

Alguns Balés sem Importância

Dmitri

O balé começa num parque de diversões. Todo o mundo está bebendo e se divertindo, e há pessoas fantasiadas que dançam e riem, ao som de flautas e oboés, enquanto os trombones tocam notas graves para sugerir que logo acabará a bebida e todos estarão mortos.

Uma bela jovem chamada Natasha vaga pela festa. Ela está triste porque seu pai foi mandado lutar em Cartum e, ao chegar lá, descobriu que não havia guerra. E seguida por Leonid, um estudante tímido que não consegue se declarar a ela, mas que deposita uma salada à sua porta todas as noites... Natasha comove-se com o presente e gostaria de conhecer o gentil cavalheiro, principalmente porque detesta a marca de azeite que ele usa.

Os dois encontram-se por acidente quando Leonid, tentando escrever um bilhete de amor para Natasha, cai da montanha-russa. Ela o socorre e os dois dançam um *pas de deux,* após o que Leonid tenta impressioná-la revirando os olhos, a ponto de ter de ser conduzido à enfermaria do parque. Leonid oferece profusas desculpas e sugere que se dirijam à tenda nº 5, a fim de apreciar um espetáculo de marionetes – um convite que confirma para Natasha a impressão de que Leonid é um completo idiota.

O *show*, no entanto, é encantador, e um grande e divertido marionete chamado Dmitri apaixona-se por Natasha. Ela sabe que, embora Dmitri seja apenas um boneco, provavelmente tem alma, e, quando ele sugere que os dois passem a noite num motel, ela fica excitadíssima. Para variar, os dois dançam um *pas de deux,* embora ela tivesse acabado de dançar e estivesse suando como um cavalo. Natasha confessa o seu amor por Dmitri e jura que eles nunca se separarão, nem que o homem que maneja os cordéis tenha de dormir no quarto da empregada.

Leonid, revoltado por ter sido passado para trás por um boneco, atira em Dmitri, o qual não morre e ainda por cima é visto almoçando com corretores da Bolsa, num restaurante chique. A ação torna-se confusa e todos se alegram muito quando Natasha fratura o crânio.

O Sacrifício

Um prelúdio melódico narra a relação entre o homem e a terra, e explica por que o homem acaba sempre debaixo dela. A cortina sobe e revela um terreno árido e primitivo, tipo Sergipe. Homens e mulheres sentam-se em grupos separados e começam a dançar, mas, como não têm ideia de por que estão fazendo isto, voltam e sentam-se de novo. Nesse momento, um jovem no apogeu de sua masculinidade adentra o palco e dança um hino ao fogo. Subitamente descobre-se que *ele* é quem está pegando fogo e, após ser socorrido pelos bombeiros, é retirado discretamente de cena. Agora os refletores se apagam e o Homem desafia a Natureza – um emocionante duelo no qual a Natureza leva um chute no saco e, para vingar-se, mantém a temperatura abaixo de zero durante seis meses.

Começa o segundo ato e a Primavera ainda não chegou, embora tivesse feito as reservas com antecedência. Os anciãos da tribo reúnem-se e decidem aplacar a Natureza com o sacrifício de uma jovem. Uma virgem é escolhida, embora ninguém saiba onde conseguiram encontrá-la. Dão-lhe três horas para comparecer aos arredores da cidade, onde está se realizando um churrasco-monstro. Quando a moça aparece, pergunta onde estão os cachorros-quentes. Seguindo o ritual, os anciãos ordenam-lhe que dance até morrer. Ela implora pateticamente, dizendo que não dança tão bem assim. Os aldeões insistem e, à medida que a música cresce, ela rodopia tão freneticamente que cria uma força centrífuga capaz de arrancar todas as obturações dos espectadores. Todos se rejubilam, mas sem motivo, porque a Primavera acaba não vindo e dois anciãos são envolvidos na CPI da corrupção.

O Feitiço

A overture começa com um uníssono de metais, embora os baixos pareçam estar nos avisando: "Ignorem esses metais. O que eles entendem da vida?". O pano sobe e mostra o palácio do Príncipe Sigmund, com seu magnífico esplendor e ar refrigerado central. O Príncipe está fazendo 21 anos, mas não parece muito feliz ao abrir os presentes, já que a maioria deles são pijamas. Um a um, seus velhos amigos prestam-lhe homenagens e ele agradece com apertos de mão ou tapinhas nas costas, dependendo para onde estivessem virados. Confraterniza-se com seu melhor amigo Wolfschmidt, e os dois fazem um pacto de que, se um deles ficar careca, o outro usará peruca. Os demais dançam, preparando-se para a grande caçada, até que Sigmund pergunta: "Que caçada?". Ninguém sabe ao certo, mas a orgia já foi longe demais e, quando o garçom traz a conta, todos ficam putos da vida.

Entediado com a festa, Sigmund dança até a beira do lago, no qual contempla a si próprio durante quarenta minutos, aborrecido por não ter trazido seu aparelho de barbear. De repente, ouve um bater de asas e vê um bando de cisnes selvagens voando à luz do luar. Os cisnes dobram à direita e voam na direção do Príncipe. Sigmund constata que o líder é parte cisne, parte mulher – infelizmente, divididos no sentido longitudinal.

Sigmund apaixona-se por ela e promete a si mesmo tomar cuidado para não fazer nenhuma referência a ovos. Como sempre, dançam um *pas de deux,* que termina quando Sigmund tem um ataque de lumbago. Yvette, a Mulher-Cisne, conta-lhe que foi enfeitiçada por um mago chamado Von Epps e que, por causa de sua aparência, é quase impossível conseguir um papagaio no banco. Num solo particularmente difícil, explica através da dança que a única maneira de quebrar o encanto é convencer seu amante a fazer um curso de taquigrafia por correspondência. Isto é odioso para Sigmund, mas mesmo assim ele jura que fará. Subitamente, Von Epps aparece, na forma de um saco de roupa suja, e leva Yvette com ele, finalizando o primeiro ato.

Começa o segundo ato, o qual se passa uma semana depois, e o Príncipe vai se casar com Justine, uma mulher de quem ele tinha se esquecido completamente. Sigmund está dilacerado por sentimentos ambíguos, porque ainda ama a Mulher-Cisne, embora Justine também seja muito bonita e não tenha certas desvantagens, como penas ou um bico. Justine dança sedutoramente em torno de Sigmund, o qual continua indeciso entre casar-se ou procurar Yvette e ver se os médicos podem fazer alguma coisa. Soam os címbalos e entra Von Epps, o mago. É verdade que não tinha sido convidado para o casamento, mas promete não comer muito. Furioso, Sigmund desembainha a espada e atravessa com ela o coração de Von Epps. Isso transtorna um pouco a festa, e a mãe de Sigmund ordena ao cozinheiro que espere um pouco antes de servir o banquete.

Enquanto isto, Wolfschmidt, seguindo ordens de Sigmund, encontra Yvette – o que não foi difícil, porque, como ele explica, "Quantas mulheres cisnes existem em Hamburgo?" A despeito das lamúrias de Justine, Sigmund corre ao encontro de Yvette. Justine vai atrás dele e o beija, enquanto a orquestra ataca um furioso dobrado. Nesse momento, podemos perceber que Sigmund está usando sua malha de balé pelo avesso. Yvette chora, dizendo que agora só a morte quebrará o encanto. E assim, numa das passagens mais comoventes e belas da história do balé, atira-se de cabeça contra um muro. Sigmund observa quando o corpo do cisne morto transforma-se no corpo de uma mulher morta, e finalmente compreende quão cruel pode ser a vida, principalmente para os galináceos. Arrasado, decide juntar-se a ela e, depois de uma delicada dança de lamentação, engole um bagre vivo.

Os Rapinantes

Este famoso balé eletrônico é talvez o mais dramático da dança moderna. Começa com uma *overture* de sons contemporâneos – ruídos de rua, relógios fazendo tique-taque e um anão tocando *Hora Staccato* num pente com papel de seda. Quando o pano sobe, o palco está vazio. Durante vários minutos, nada acontece. Pouco depois, o pano cai – e há um intervalo.

O segundo ato começa com alguns jovens que dançam representando insetos. O líder é uma mosca comum, enquanto os outros lembram diversas pragas de plantação. Movem-se sinuosamente ao som de música dissonante, na direção de um enorme bolo de chocolate que vai aparecendo aos poucos no fundo do palco. Quando vão começar a comê-lo, são interrompidos por uma procissão de mulheres que trazem uma grande lata de flit. Apavorados, tentam fugir, mas são aprisionados dentro de gaiolas e sem nada para ler. As mulheres dançam orgiasticamente ao redor das gaiolas, preparando-se para devorar os machos assim que encontrarem o molho de soja. Quando já estão prontas para jantar, uma jovem descobre um macho solto, com as antenas caídas. Sente-se atraída por ele e os dois dançam lentamente ao som de cornos-franceses. Claro, um *pas de deux*. Ele sussurra: "Não me coma". Os dois se apaixonam e fazem planos para um voo nupcial, mas, de repente, a fêmea muda de ideia e o devora, preferindo dividir seu apartamento com uma colega.

Um Dia na Vida de uma Corça

Quando o pano sobe, ouve-se uma música insuportavelmente linda e vê-se um bosque numa tarde de verão. Um fauno dança e mordisca delicadamente uma folha. De vez em quando, vaga preguiçosamente entre os arbustos. Quando ninguém espera, estrebucha e morre.

Os Pergaminhos

Os estudiosos devem recordar-se de que, há alguns anos, um pastor que vagava pelo Golfo de Áqaba descobriu uma caverna contendo grandes vasos de argila, além de dois ingressos para o Carnaval no Gelo. Dentro dos vasos foram encontrados seis rolos de pergaminho com uma incompreensível escrita antiga – que o pastor, na sua ignorância, vendeu a um museu por setecentos mil dólares cada. Dois anos depois, os vasos tinham ido parar numa loja de penhores em Filadélfia. E, pouco depois, o próprio pastor também foi parar na mesma loja de penhores. Nenhum deles nunca foi tirado do prego.

Os arqueólogos dataram os pergaminhos por volta de 4000 a.C., ou pouco antes do massacre dos israelitas por seus benfeitores. A escrita é uma mistura de sumério, aramaico e babilônico, e parece ter sido feita por um único homem durante grande período de tempo, ou por muitos homens durante alguns segundos. A autenticidade dos pergaminhos tem sido posta em dúvida ultimamente, talvez porque a palavra "oldsmobile" apareça diversas vezes no texto, e os poucos fragmentos que chegaram a ser traduzidos lidem com temas religiosos de maneira extremamente dúbia. Mesmo assim, o arqueólogo A. H. Bauer afirma que, embora os fragmentos sejam evidentemente fraudulentos, esta é talvez a maior descoberta do gênero na História, com a exceção da descoberta de suas abotoaduras num túmulo de Jerusalém. O que se segue são transcrições dos fragmentos traduzidos.

Um... E o Senhor fez uma aposta com Satã para testar a lealdade de Job e, sem razão aparente, golpeou Job na cabeça, deu-lhe um tapa no ouvido e empurrou-o dentro de uma tina de maionese, para que Job ficasse bem pegajoso e repelente. Não contente, o Senhor ainda tirou uma fatia da pantorrilha de Job e jogou-a para os cães, até que Job gritou, "Qual é, Senhor? Esse pedaço de minha panturrilha poderá me fazer falta algum dia!" E o Senhor tirou do bolso uma ratoeira, daquelas de mola, e fechou-a bem no nariz de Job. E, quando a mulher de Job viu isto, chorou e o Senhor ungiu sua cabeça com um taco de polo e, das dez pragas, mandou-lhe nada menos que seis, o que fez Job ficar triste e sua mulher, furiosa.

E logo as terras de Job secaram e sua língua prendeu-se no céu da boca, de modo que ele não conseguia pronunciar a palavra "olíbano" sem que todos caíssem na gargalhada.

Mas, certa vez, enquanto arruinava a vida de seu fiel servo, o Senhor chegou perto demais de Job e este agarrou-o pelo pescoço e disse: "Aha! Peguei-Vos! Por que fazes isto com Job? Hem? Fala!".

E o Senhor disse: "Hmmm, olhe este pescoço que você está espremendo é meu... Largue-me... Cof! Cof!".

Mas Job não dava sinal de clemência: "Eu estava indo muito bem, até que chegastes. Tinha mirra e figueiras para dar e vender, além de um manto com duas calças. Agora, olha!".

E o Senhor falou e, desta vez, sua voz trovejou: "Devo eu, que criei o Céu e a Terra, explicar-me diante de ti? O que já criaste para ousar perguntar-me?".

"Isto não é resposta", rebateu Job. "Para quem se julga tão onipotente, fica sabendo de uma coisa: *salvação* escreve-se com ç e não com dois ss."

Mas então Job caiu de joelhos e rezou: "Vosso é o reino, o poder e a glória. Fizestes um belo trabalho. Continua assim. Não deixais a peteca cair".

Dois... E Abraão acordou de madrugada e disse a seu filho único, Isaac: "Tive um sonho no qual a voz do Senhor ordenava-me a sacrificar meu filho. Portanto, vista as calças e vamos". E Isaac perguntou tremendo: "E o que você disse quando Ele teve essa ideia?".

"E o que eu poderia dizer?", respondeu Abraão. "Imagine a minha situação: de cuecas, às duas da matina, falando com o Criador do Universo! Devia discutir?"

"Bem, pelo menos Ele explicou para que queria o meu sacrifício?"

"Os fiéis não fazem perguntas. E agora vamos, porque tenho um dia cheio amanhã."

E Sara, que ouvira o plano de Abraão, ficou nervosa e disse: "Como sabes que era o Senhor, e não, digamos, teu amigo que adora brincadeiras de mau gosto? O Senhor detesta essas brincadeiras e acha que quem as pratica deve ser atirado às feras, mesmo que elas já tenham almoçado".

E Abraão respondeu: "Porque eu sabia que era o Senhor. Era uma voz profunda, ressonante, bem modulada, e ninguém no deserto consegue colocá-la tão bem quanto Ele".

E Sara perguntou: "Estás disposto a cumprir esta ordem absurda?". E Abraão respondeu: "Francamente sim, porque questionar a vontade do Senhor é uma das piores coisas que uma pessoa pode fazer, principalmente na atual conjuntura".

E assim Abraão levou Isaac a um determinado lugar e preparou-se para sacrificá-lo. Mas, no último minuto, o Senhor paralisou a mão de Abraão e disse: “Ias mesmo fazer esta asneira?”.

E Abraão gaguejou: “Mas o Senhor...”.

“Não importa o que eu disse, pô”, rugiu o Senhor. “Sais levando a sério todas as ideias de jerico que lhe dão?”

Claro que Abraão ficou envergonhado: “Bem, para dizer a verdade...”.

“Sugeri de brincadeira que sacrificasses Isaac e, imediatamente, achaste que era boa ideia.”

E Abraão caiu de joelhos: “Estais vendo? Nunca sei quando estais brincando!”.

E o Senhor fulminou-o: “Que falta de senso de humor. És uma besta!”.

“Mas isso não prova o meu amor por Vós?” insistiu Abraão.

“Não. Prova apenas que alguns idiotas seguirão qualquer ideia imbecil, desde que venha de uma voz ressonante e bem modulada.”

E assim o Senhor disse a Abraão que ele estava dispensado e mandou-o passar no caixa no dia seguinte.

Três... E havia um homem que vendia camisas e não ia bem nos negócios. Quando o encalhe ficou insuportável, ele ajoelhou-se e rezou: “Senhor, por que me fazes sofrer assim? Todos os meus inimigos vendem sua mercadoria, menos eu. E estamos no auge da estação. Minhas camisas são boas. Dê uma olhada neste ban-lon. Tenho de mangas curtas, compridas, três-quartos, todos os modelos, cores, o escambau. Mas nada vendo. E, no entanto, observei Vossos mandamentos. Por que não posso ganhar a vida, quando meu irmão caçula está ficando rico com seu *prêt-à-porter?*".

E o Senhor ouviu-o e respondeu: "A respeito de tuas camisas...".

"Estou ouvindo, Senhor", gemeu o homem, contrito.

"Costura um jacaré sobre o bolso de todas elas."

"Como, Senhor?"

"Faz como te ordeno. Não te arrependerás."

E o homem costurou em todas as suas camisas um pequeno jacaré e não ficou uma em estoque e houve júbilo em seu coração e choro e ranger de dentes entre seus inimigos, e um deles disse: "O Senhor é piedoso. Fez-me deitar sobre verdes pastagens. O problema é que, agora, não consigo me levantar".

Mandamentos e Provérbios

Todas as abominações são contra a lei, principalmente se quem as pratica estiver usando babadouro.

O leão e a ovelha poderão dormir juntos, mas a ovelha não conseguirá pegar no sono.

Quem não tombar pela espada ou pela fome, tombará pela peste. Logo, para que barbear-se?

Os iníquos de coração talvez tenham algum motivo.

Quem ama a sabedoria é reto e justo, mas quem usa galinhas para fins indevidos não o será tanto.

Senhor, Senhor, o que andastes fazendo ultimamente?

As Mulheres de Lovborg

Talvez nenhum escritor tenha criado mulheres tão complexas e fascinantes quanto o grande dramaturgo escandinavo Jorgen Lovborg, conhecido por seus contemporâneos como Jorgen Lovborg. Sofrido e amargurado por suas penosas relações com o sexo oposto, ele deu ao mundo personagens inesquecíveis como Jenny Angstrom em *Gansos sem Conta* e a Sra. Spearing em *As Gengivas de Mamãe.* Lövbörg, que nasceu em Estocolmo em 1836, chamava-se originariamente Lovborg, até que, já no fim da vida, removeu os tremas sobre os oo e passou a usá-los como sobrancelhas. Começou a escrever aos 14 anos e sua primeira peça a ser produzida, quando tinha 61 anos, foi *Aqueles que Serpenteiam,* recebida com prós e contras pela crítica, embora a franqueza do tema (bolinação de queijos) provocasse rubor nas plateias mais conservadoras.

A obra de Lovborg pode ser dividida em três períodos. Primeiro, veio a série de peças que tratavam de angústia, desespero, neurose, medo e solidão (estas são, naturalmente, as comédias); o segundo grupo enfatizava a transformação social (Lovborg foi um dos responsáveis pela criação de métodos mais exatos para pesar *herring);* finalmente, vieram as seis grandes tragédias, escritas pouco antes de sua morte em Estocolmo, em 1902, quando seu nariz se descolou do resto do rosto devido à tensão insuportável.

O primeiro personagem feminino importante de Lovborg foi Hedvig Moldau em *O Cabrito Tirolês,* sua irônica denúncia dos abusos da caligrafia entre as classes dominantes. Hedvig sabia que Gregor Norstad tinha usado cimento de má qualidade na construção do teto do galinheiro e, quando este desabou sobre Klavar Akdal, causando-lhe cegueira e calvície na mesma noite, tornou-se escrava do remorso. Segue-se a obrigatória transcrição da cena:

Hedvig: Ué! Desabou!

Dr. Rourlund *(depois de longa pausa):* Sim. Caiu na cabeça de Akdal.

Hedvig *(irônica):* O que ele estava fazendo no galinheiro?

Dr. Lorlund: Gostava de galinhas. Bem, não de todas. Só de algumas, é claro... *(Significativamente)* Tinha suas favoritas...

Hedvig: E Norstad? Onde estava durante o... acidente?

Dr Rorlund: Esfregou cebolinha pelo corpo inteiro e pulou dentro do filtro.

Hedvig *(para si mesma):* Nunca me casarei.

Dr. Rorlund: Como disse?

Hedvig: Nada. Venha, doutor. Está na hora de lavar as cuecas.

Hedvig, uma das primeiras mulheres realmente “modernas”, dá um risinho de mofa quando o Dr. Rorlund sugere que ela plante uma bananeira enquanto Norstad engoma seus colarinhos. Lembra muito a verdadeira irmã de Lovborg, Hilda, uma mulher neurótica e dominadora que se casou com um rude pescador finlandês o qual arpoou-a certo dia. Lovborg adorava Hilda, e foi por influência dela que abandonou o hábito de conversar com sua bengala.

A segunda grande "heroína" na obra de Lovborg aparece em seu drama de luxúria e ciúme, *Tripla Hemorragia*. Moltvick Dorf, o treinador de anchovas, descobre que a pavorosa doença de seu pai foi herdada por seu irmão Eyeowulf, e não por ele. Dorf vai aos tribunais, afirmando que a doença lhe pertence, mas o juiz Munders dá ganho de causa a Eyeowulf. Netta Holmquist, a bela e arrogante atriz, tenta convencer Dorf a chantagear Eyeowulf, ameaçando-o de contar às autoridades que ele certa vez falsificou a assinatura de um pinguim em algumas apólices de seguros. Então acontece a cena quatro do segundo ato:

Dorf: Oh, Netta. Está tudo perdido!

Netta: Para um fraco, talvez. Mas não para alguém com coragem.

Dorf: Coragem?

Netta: Sim, coragem para contar a Parson Smathers que ele nunca andará e que não poderá ir a lugar nenhum.

Dorf: Netta! Eu não poderia fazer isto!

Netta: Ah! Claro que não. Eu sabia!

Dorf: Parson Smathers confia em Eyeowulf. Dividiram um chiclete certa vez. Foi antes de eu nascer. Oh, Netta...

Netta: Pare de gemer. O banco dará o financiamento para que Eyeowulf amortize o pagamento da empadinha. E ele já comeu mais da metade dela...

Dorf: Netta, o que está querendo dizer?

Netta: Nada. Nada que mil esposas não fizessem pelo marido. Conservá-lo em salmoura, por exemplo.

Dorf: Transformar meu próprio irmão num picles?

Netta: Por que não? Ele sofre de úlcera?

Dorf: Mas isso é drástico demais! Netta, por que não deixá-lo ficar com a pavorosa doença de papai? Talvez pudéssemos entrar num acordo e ele me permitisse ficar com os sintomas!

Netta: Acordo! Bah! Essa sua mentalidade de classe média me dá náuseas. Oh, Moltvick, estou de saco cheio com esse casamento. De saco cheio com suas ideias, suas maneiras, suas conversas. E farta de ver você usar penas para jantar!

Dorf: Não! Minhas penas, não!

Netta (*com desprezo*): Vou contar-lhe uma coisa que só eu e sua mãe sabemos: você é um anão.

Dorf: *O quê?*

Netta: Tudo nesta casa foi feito nas suas proporções. Você tem apenas 70 centímetros de altura.

Dorf: Mas não pode ser! Ai, as dores estão voltando...

Netta: Sim, Moltvick!

Dorf: Minha rótula está latejando!

Netta: Que galinha morta!

Dorf: Netta, Netta, abra as venezianas...

Netta: Vou fechá-las.

Dorf: Luz! Preciso de luz!

Para Lovborg, Moltvick representava a velha, decadente e agonizante Europa. Netta, por outro lado, era a nova – o furacão darwinista que varreria a Europa nos próximos cinquenta anos e encontraria sua expressão mais profunda nas canções de Maurice Chevalier. O relacionamento entre Netta e Moltvick espelhava o casamento de Lovborg com Siri Brackman, a atriz que lhe serviu de constante inspiração nas oito horas que durou o casamento. Lovborg casou-se várias vezes depois disso, mas sempre com manequins de vitrina.

Evidentemente, a mulher mais satisfatoriamente realizada de todas as peças de Lovborg foi a Sra. Sanstad em *Peras Maduras*, seu último drama naturalista. (Depois de *Peras* chegou a completar uma peça expressionista na qual todos os personagens se chamavam Lovborg, mas não conseguiu encená-la e passou os três últimos anos de sua vida enfurnado num velho baú.) *Peras Maduras* rivaliza com suas grandes obras, e o diálogo final entre a Sra. Sanstad e Berte, sua nora, é talvez mais pertinente hoje do que nunca:

Berte: Diga-me que gostou da decoração! Com o salário de um ventríloquo, não pudemos fazer melhor.

Sra. Sanstad: A casa é... passável...

Berte: O quê? Só passável?

Sra. Sanstad: De quem foi a ideia de empalhar o alce com aquela seda vermelha?

Berte: Ora, de seu filho, é claro! Henrick é um decorador nato!

Sra. Sanstad: Henrick é um idiota!

Berte: Não!

Sra. Sanstad: Sabe que ele não conhecia neve até a semana passada?

Berte: É mentira!

Sra. Sanstad: Meu querido filho! Sim, Henrick – o homem que foi preso por pronunciar errado a palavra "ditongo".

Berte: Não!

Sra. Sanstad: Sim! E com um esquimó no quarto, naquele exato momento!

Berte: Não quero ouvir sobre isto!

Sra. Sanstad: Mas terá que ouvir, meu rouxinol! Não é assim que Henrick a chama?

Berte (*chorando*): Às vezes ele me chama de rouxinol. Outras vezes, de cambaxirra. Ou então de hipopotinha.

(Ambas choram desabridamente.)

Sra. Sanstad: Berte, minha querida Berte... Os protetores de orelhas que Henrick usa no inverno não são dele! Pertencem a uma multinacional!

Berte: Temos de ajudá-lo! Ele precisa descobrir que não sairá voando se pular pela janela!

Sra. Sanstad (*rindo de repente):* Henrick sabe tudo, tolinha. Contei-lhe o que você acha sobre seus suspensórios.

Berte: Você me enganou, sua bruxa!

Sra. Sanstad: Pense o que quiser. Ele já está em Oslo!

Berte: Oslo?

Sra. Sanstad: E levou seu vasinho de gerânios...

Berte: Sim... Compreendo... *(Caminha em direção à porta no fundo no palco.)*

Sra. Sanstad: Sim, meu rouxinol, Henrick está livre de suas garras, afinal! Dentro de apenas um mês, ele realizará o seu grande sonho: encher o chapéu de cinza. E você imaginava que o prenderia aqui. Não! Henrick é uma coisa selvagem, uma força da natureza! Como um camundongo – ou um fio de pestana! *(Ouve-se um tiro. A Sra. Sanstad corre para o outro quarto. Ouve-se um grito. Ela volta pálida e tremendo.)* Morta... Ela é que é feliz... Preciso ir... Sim, a noite cai... rapidamente... E ainda tenho de temperar o grão de bico...

Através da Sra. Sanstad, Lovborg vingou-se de sua mãe, também uma mulher extremamente crítica, que começou a vida como trapezista de circo. Seu pai, Nils Lovborg, era o bala humana. Os dois conheceram-se em pleno ar e casaram-se antes de tocar o chão. O casamento logo se tornou amargo e, quando Lovborg tinha seis anos, seus pais trocavam tiros de canhão diariamente. Esse ambiente afetou um jovem sensível como Jorgen Lovborg, fazendo-o começar a ter suas primeiras e famosas "ansiedades" ou "fossas", tornando-o durante alguns anos incapaz de passar por um frango na brasa sem tirar o chapéu. Nos últimos anos, disse a amigos que ficou tenso durante todo o tempo em que escreveu *Peras Maduras* e que pensava ouvir frequentemente a voz de sua mãe perguntando-lhe qual era o caminho para o Valhalha.

A Puta com Ph. D.

Uma coisa que todo detetive particular deve aprender é a acreditar nos próprios palpites. Assim, quando um sujeito ligeiramente banana chamado Word Babcock entrou no meu escritório e pôs as cartas na mesa, eu devia ter prestado atenção ao calafrio que me percorreu a espinha.

"Kaiser?", ele perguntou, "Kaiser Lupowitz?"

"É o que diz na minha licença", respondi.

"Você tem de me ajudar! Estou sendo chantageado. Por favor!"

Estava tremendo mais que as mangas bufantes de um *crooner* de uma orquestra de rumbas. Atirei-lhe um copo e passei-lhe uma garrafa, que mantenho sempre à mão para fins não medicinais. "Que tal se você relaxar e me dar o serviço? Conte-me tudo."

"Promete que... não contará à minha mulher?"

"Sou legal. Mas não posso fazer promessas, Word."

Tentou servir-se de uma dose, mas podia-se ouvir o barulho da garrafa contra o copo do outro lado da rua. Acabou derramando o uísque no sapato.

"Sou mecânico. Fabrico e conserto aqueles anéis que dão choque quando se aperta a mão de alguém. Você sabe."

"Sei. E daí?"

"São muito apreciados por executivos. Principalmente o pessoal da Bolsa."

"Não enrole, vá logo ao assunto."

"Bem, o fato é que vivo viajando. Sinto-me só. Oh, nada do que você está pensando. Sabe, Kaiser, no fundo, eu sou um intelectual. Claro, um sujeito pode ter todas as bundas que quiser. Mas uma mulher inteligente, ah, isso é difícil de encontrar!"

"Continue."

"Pois é. Aí ouvi falar de uma garota. Dezoito anos. Estudante em Vassar. Por um certo preço, ela sai com você e discute qualquer assunto – Proust, Yeats, antropologia. Troca de ideias entre dois adultos. Já viu aonde estou querendo chegar?"

"Ainda não."

"Quero dizer, minha mulher é joia, não me entenda mal. Mas jamais discutiria Pound comigo. Nem Eliot. Eu não sabia disto quando nos casamos. Sabe, preciso de uma mulher que me estimule intelectualmente, Kaiser. E não me importo de pagar por isto. Não quero me envolver – quero só uma rápida experiência intelectual, e depois que a moça se mande. Porra, Kaiser, sou feliz no casamento!"

"Há quanto tempo isto vem acontecendo?"

"Seis meses. Quando estou muito a fim, telefono para Flossie. É uma cafetina com pós-graduação em literatura comparada. Aí ela me manda uma socióloga ou coisa assim. Entendeu?"

Ele era um daqueles caras com um fraco pelas intelectas. Senti pena do otário. Imaginei que devia haver bandos de trouxas como ele, ansiando por um pequeno intercâmbio cultural com o sexo oposto e dispostos a gastar uma nota.

“E agora ela está ameaçando contar tudo à minha mulher”, disse.

“Quem?”

“Flossie. Censurou o telefone do motel e gravou minhas conversas com a moça. Em algumas fitas, discuto *Crime e Castigo* ou *Ulysses* e, às vezes, cheguei a colocar alguns pontos fundamentais. Se eu não pagar dez mil dólares, ameaçam contar tudo a Carla. Kaiser, você tem de me ajudar! Carla morreria se soubesse que não sou ligado no cérebro dela!”

A velha jogada. Já tinha ouvido rumores de que o pessoal lá na delegacia estava atrás de uma quadrilha de parnasianas, mas pensei que fosse cascata.

“Ponha Flossie no telefone.”

“O quê?”

“Aceito o caso, Word, mas são cinquenta dólares por dia, mais as despesas. Você vai ter de arranjar um bocado de fregueses para seus anéis.”

“Não me importo”, respondeu. Pegou o aparelho e discou um número. Passou-me o telefone. Pisquei-lhe um olho. Estava começando a gostar dele.

Daí a pouco, uma voz amanteigada atendeu e eu lhe disse o que queria: “Ouvi dizer que você pode me descolar uma gata com um bom papo”.

“Claro, bem. Qual é a sua especialidade?”

“Gostaria de discutir Herman Melville.”

“*Moby Dick* ou os romances mais curtos?”

Qual é a diferença?”

“O preço. Os apêndices sobre simbolismo são por fora, naturalmente.”

“Em quanto vou ter de morrer?”

“Cinquenta, talvez cem dólares por *Moby Dick*. Quer uma discussão comparativa – digamos, entre Melville e Hawthorne? Posso arranjar isto por cem dólares.”

"Falou", falei. Dei-lhe o número de um quarto no Plaza.

"Quer uma loura ou morena?"

"Surpreenda-me", respondi e desliguei.

Fiz a barba e tomei um pouco de café, enquanto ouvia pelo rádio a transmissão de uma partida de xadrez. Menos de uma hora depois, bateram à porta. Abri e vi uma ruiva espremida num suéter como duas grandes bolas de sorvete numa única casquinha.

"Oi! Meu nome é Sherry!"

Eles realmente sabiam como apelar para suas fantasias. Cabelos longos e lisos, bolsa de couro, brincos de prata, sem maquilagem.

"Não sei como não foi presa entrando neste hotel vestida desse jeito", eu disse. "O detetive daqui conhece uma intelectual pelo cheiro."

"Molhei a mão dele antes de subir."

"Vamos começar?" – convidei-a para o sofá.

Acendeu um cigarro e foi direto ao assunto. "Acho que podíamos começar analisando Billy *Budd* como a maneira de Melville justificar Deus para o homem, *nest-ce pas?"*

"Interessante, mas não no sentido miltoniano." Eu estava chutando adoidado, mas queria ver se ela mordia a isca.

"Não. *Paraíso Perdido* não tem essa subestrutura de pessimismo."

Ela caíra no meu golpe.

"É isso aí, é isso aí! Pô, Sherry, você tem razão!", exclamei.

"Acho que Melville reafirmava as virtudes da inocência de uma maneira nova, mas, ao mesmo tempo, sofisticada – não acha?"

Fui dando-lhe corda. Mal tinha dezenove anos, mas já dominava todos os truques do pseudo-intelectual. Falava com extrema fluência, mas era tudo mecânico. Quando eu propunha um problema, forjava uma resposta: "Oh, sim, Kaiser! Claro, isso é muito profundo. A compreensão platônica do cristianismo – como não pensei nisto antes?".

Conversamos durante uma hora e então ela me disse que tinha de ir. Levantou-se e estendi-lhe uma nota de cem.

"Obrigada, bem."

"E há muito mais de onde saiu esta."

"O que quer dizer com isso?"

Eu tinha aguçado sua curiosidade. Sentou-se de novo.

"Digamos que eu quisesse – dar uma festinha..." –, arrisquei.

"Que espécie de festa?"

"Suponhamos que eu quisesse que duas garotas me explicassem Noam Chomsky?"

"Fiiiiuuu..."

"Não, acho bom você esquecer o que eu disse."

"Não, não, tudo bem, mas terá de falar com Flossie", respondeu. "E vai te custar uma nota!"

Tinha chegado a hora de apertar as arruelas. Mostrei-lhe minha insígnia de pé-chato e disse-lhe que tinha sido uma cilada.

"O quê?"

"Sou um tira, meu bem, e você não está numa boa. Discutir Melville por dinheiro está no Código Penal. Você pode pegar uns meses."

"Seu f. d. p.!"

"Acho melhor se explicar, querida. A menos que queira contar sua história para um crítico literário. E não creio que ele vá gostar."

Ela começou a chorar. “Não me entregue, Kaiser. Precisava da grana para completar meu mestrado. Recusaram-me a bolsa duas vezes. Oh, meu Deus!”

Vomitou tudo – a história inteira. Família grã-fina de Nova Iorque. Passava as férias com o pessoal da esquerda festiva. Podia ser vista em todas as sessões dos cinemas de arte. Viciada em escrever “É isso aí!” nas margens dos livros de Kant. Mas agora tinha dado um passo em falso.

“Eu precisava do dinheiro. Uma amiga minha falou de um sujeito casado com uma mulher não muito profunda. Ele era vidrado em Blake, mas sua mulher não estava nem aí. Eu disse que topava, podia discutir Blake com ele, mas não de graça. A princípio, fiquei nervosa. Tive de chutar de montão. Ele não se importou. Minha amiga disse que havia outros. Oh, já fui apanhada antes. Me deram um flagra lendo um jornal da imprensa nanica num estacionamento. Se isto continuar, não sei como vai ser!”

“Leve-me a Flossie.”

Ela mordeu o lábio e disse: “Flossie se faz passar por dona de livraria”.

“É?”

“Como aqueles traficantes que vendem sorvete. Você vai ver.”

Dei um rápido telefonema para a delegacia e então disse a Sherry: “Tudo bem, minha flor. Você está virgem de novo. Mas não saia da cidade”.

Ela recostou a cabeça no meu ombro e disse languidamente: “Posso te conseguir fotos de Dwight MacDonald, se quiser...”.

“Fica para outra vez, belezoca.”

Fui à tal livraria. O balconista – um rapaz de olhos sensíveis – perguntou-me: “Deseja algum livro em particular?”.

"Estou procurando uma primeira edição de *Os Nus e Os Mortos*. Ouvi dizer que nem Norman Mailer tem mais um exemplar. Deu-o à sua quinta mulher, quando faltou-lhe dinheiro para pagar a pensão."

"Terei de checar. Temos o número secreto do telefone de Mailer."

Olhei bem nos seus olhos e disse: "Foi Sherry quem me mandou".

"Oh, nesse caso, não quer ir até os fundos?" Apertou um botão. Uma estante falsa abriu-se e entrei como um babaca naquele palácio do prazer, mais conhecido como Flossies.

Paredes cobertas de papel pintalgado de vermelho, decoração quase vitoriana. Bandos de moças com óculos de aros de tartaruga, estendidas em sofás, folheavam furiosamente Penguin Books. Uma loura com um belo sorriso piscou para mim com ar provocante, apontou para um quarto no segundo andar e perguntou: "Vamos falar de Wallace Stevens?". Mas a coisa não se limitava a experiências intelectuais – as emocionais também estavam em estoque. Fiquei sabendo que, por cinquenta dólares, você poderia "estabelecer uma relação sem envolvimento". Por cem dólares, a garota lhe emprestaria a sua coleção de Bártok, sairia com você para jantar e depois o deixaria olhar enquanto ela tivesse um ataque de existencialismo. Por cento e cinquenta, você ouviria clássicos em FM ao lado de gêmeas com Ph.D. em poesia provençal. O quente custava trezentos dólares: uma recém-formada em psicologia fingiria apanhá-lo no Museu de Arte Moderna, envolver-se-ia com você numa discussão sobre o conceito freudiano da mulher, deixá-lo-ia ler a sua tese de mestrado e até encenaria um suicídio – para alguns, a ideia de uma noite perfeita. Belo negócio, este. E que cidade, Nova Iorque!

"Está gostando?", perguntou uma voz atrás de mim. Virei-me e vi-me de cara com o cano de um 38. Aliás, o pior lado de um 38. E, podem crer: sou duro na queda, mas desta vez confesso que quase tive um colapso. Claro que era Flossie. A voz era a mesma. Só que Flossie era um homem. Seu rosto estava escondido por uma máscara.

"Você não vai acreditar", ele disse, "mas não tenho nem o ginásio. Fui reprovado várias vezes e tive de sair".

"É esta a razão da máscara?"

"Bolei um plano complicado, com o qual eu me apossaria do *New York Review of Books*, mas teria de me passar por Lionel Trilling. Fui ao México fazer uma plástica. Há um médico em Juárez que transforma qualquer pessoa em Lionel Trilling – claro que custa caro. Mas algo saiu errado. Ele me fez parecido com Auden, só que com a voz de Mary McCarthy. Foi então que me passei para o outro lado da lei."

Ele ia puxar o gatilho. Mas fui mais rápido e entrei em ação. Curvei-me para a frente e acertei seu queixo com meu cotovelo, agarrando o revólver quando ele o soltou. Flossie foi ao chão como uma tonelada de tijolos. Ainda estava choramingando quando a polícia chegou.

"Bom trabalho, Kaiser", disse o Sargento Holmes. "Quando terminarmos o nosso interrogatório, acho que o FBI vai ter uma conversinha com ele. Qualquer coisa a respeito de jogatina e uma edição anotada. *Inferno* de Dante. Podem levá-lo, rapazes."

Naquela mesma noite, dei um telefonema para uma velha conta bancária em meu nome, chamada Glória. Era loura. Também tinha se formado *cum laude.* Só que em educação física. Tive de mostrar-lhe meu diploma.

Morte

Peça em um ato

Quando sobe o pano, Kleinman está dormindo e são duas da manhã. Batem à porta.

Kleinman: Huh?

Vozes: Abra! Ande logo, sabemos que você está aí! Vamos, abra logo!

Kleinman: Huh? O quê?

Vozes: Vamos, abra logo!

Kleinman: O quê? Espere! *(Acende a luz.)* Quem está aí?

Vozes: Vamos, pô! Abra!

Kleinman: Quem é?

Voz: Vamos, Kleinman! Depressa!

Kleinman: Hacker – é a voz de Hacker. Hacker?

Voz: Vai abrir ou não, Kleinman?

Kleinman: Estou indo, estou indo. Estava dormindo. (*Sonolento e desajeitado. Olha o relógio.*) Meu Deus, são duas e meia... Já estou indo, espere um minuto!

(Abre a porta. Entra uma meia dúzia de homens.)

Hank: Que merda, Kleinman! Está surdo?

Kleinman: Estava dormindo. São duas e meia da manhã. O que houve?

Al: Precisamos de você. Vista a roupa.

Kleinman: O quê?

Sam: Vamos embora, Kleinman. Não temos a vida toda.

Kleinman: O que aconteceu?

Al: Vamos lá, porra!

Kleinman: Para onde? Hacker, já é de madrugada!

Hacker: Então acorde!

Kleinman: O que está havendo?

John: Não seja tão ignorante.

Kleinman: Quem é ignorante? Eu estava num sono profundo. O que você acha que eu estava fazendo às duas e meia da manhã – dançando?

Hacker: Precisamos de todo mundo que possa ser útil.

Kleinman: Para quê?

Victor: O que há com você, Kleinman? Onde esteve esse tempo todo, que nem sabe o que está acontecendo?

Kleinman: Nem sei do que estão falando!

Al: Vamos fazer justiça pelas próprias mãos.

Kleinman: O quê?

Al: Uma espécie de esquadrão da morte.

John: Só que com um plano!

Hacker: E bem bolado.

Sam: Um plano perfeito!

Kleinman: Alguém pode me contar o que está havendo? Estou de cuecas e sentindo frio.

Hacker: Limite-se a saber que precisamos de você e de quem puder ajudar. Agora, vista-se.

Victor: (*Ameaçador.*) E depressa.

Kleinman: Está bem, já estou me vestindo. Podem me dizer, por favor, o que houve? *(Começa a vestir as calças com apreensão.)*

John: O assassino foi visto. Por duas mulheres. Viram quando ele entrou no parque.

Kleinman: Qual assassino?

Victor: Kleinman, isto não é hora de se fazer de bobo.

Kleinman: Quem está se fazendo de bobo? Vocês quase arrombam a porta – eu estou ferrado no sono e...

Hacker: O assassino de Richardson. E de Jampel.

Al: O assassino de Mary Quilty.

Sam: O tarado.

Hank: O estrangulador.

Kleinman: Qual tarado? Qual estrangulador?

John: Aquele que matou o filho de Eisler e estrangulou Jensen com a corda de piano!

Kleinman: Jensen?... o guarda-noturno?

Hacker: É aí. Pegou-o por trás. Esgueirou-se e passou a corda de piano em volta do seu pescoço. Jensen estava azul quando foi encontrado. Saliva congelada no canto da boca.

Kleinman: *(Olha ao redor da sala.)* Olhem, eu tenho que trabalhar amanhã...

Victor: Vamos nessa, Kleinman. Temos que agarrar esse cara antes que ele ataque de novo.

Kleinman: Temos? Vocês e eu?

Hacker: A polícia não está dando conta.

Kleinman: Bem, então é só escrever uma carta reclamando. Prometo fazer isto assim que acordar...

Hacker: Estão fazendo o máximo, Kleinman. Mas não têm pistas.

Sam: Todo mundo está sem pistas.

Al: Não me diga que você ainda não tinha ouvido falar do tarado?

John: É difícil de acreditar.

Kleinman: Bem, a verdade é – tenho andado muito ocupado. Estou num sufoco... *(Eles não estão acreditando numa palavra.)* Não tenho tido tempo nem para almoçar – e vocês sabem como eu adoro almoçar... Hacker sabe disso...

Hacker: Mas esses crimes estão se arrastando há tempos! Você não lê os jornais?

Kleinman: Não tenho tido tempo!

Hacker: Todo mundo está apavorado. As pessoas já nem saem à noite!

John: Mas nem isso adianta. Duas irmãs foram mortas em casa, porque não trancaram a porta direito. Gargantas cortadas de orelha a orelha!

Kleinman: Você não disse que ele era estrangulador?

John: Kleinman, não seja ingênuo.

Kleinman: F-f-foi bom você ter falado nisso. Acho que vou botar uma tranca na porta!

Hacker: É horrível. Ninguém sabe quando ele vai atacar!

Kleinman: Quando começou isto? Por que ninguém me contou?

Hacker: Primeiro, um cadáver; depois, outro; depois, outros. A cidade está em pânico. Todo mundo, menos você.

Kleinman: Bem, pode ficar descansado, porque agora eu também estou!

Hacker: O problema do tarado é que ele não tem motivos. Mata por matar.

Kleinman: Ninguém foi roubado nem violentado? Ninguém sentiu cócegas?

Victor: Nada. Só estrangulado.

Kleinman: Até Jensen... E ele é tão forte...

Sam: *Era.* Neste exato momento, está todo azul e de língua pra fora.

Kleinman: Azul... Não fica bem num homem de quarenta anos... E não há pistas? Nem um cabelo? Uma impressão digital?

Hacker: Há. Há um fio de cabelo.

Kleinman: E então? Hoje eles só precisam de um fio de cabelo. Botam debaixo de um microscópio e, em dois tempos, ficam sabendo de tudo. De que cor é?

Hacker: Da cor do seu.

Kleinman: Do meu? Não me olhe desse jeito! Não andei perdendo cabelo ultimamente! Eu... Olhe, não vamos enlouquecer, vamos? O negócio é manter a calma.

Hacker: A-han.

Kleinman: Às vezes, há uma pista nas vítimas – não serão todos carecas ou enfermeiros? Ou, quem sabe, enfermeiros carecas ...

John: Está tentando dizer que há alguma coisa em comum entre as vítimas?

Sam: Entre o filho de Eisler e Mary Quilty, e Jensel e Jampel...

Kleinman: Se eu soubesse mais sobre os casos...

Al: Se ele soubesse mais sobre o caso. Não há nada em comum. Exceto que eles estavam vivos e agora estão mortos. É a única coisa em comum!

Hacker: Ele tem razão. Ninguém está a salvo, Kleinman. Se é isto que você está pensando.

Al: Talvez ele queira ter certeza.

John: É

Sam: Não há lógica, Kleinman.

Victor: Não são apenas enfermeiros.

Al: Ninguém está imune.

Kleinman: Eu estava querendo apenas ter certeza. Foi uma simples pergunta.

Sam: Bem, então acabe com essas perguntas idiotas. Temos muito o que fazer.

Kleinman: Escutem, não sou muito bom nessas coisas. Não entendo nada de buscas. Só iria atrapalhar. Não preferem uma contribuição em dinheiro? Vou pegar a carteira e...

Sam: *(Encontrando um fio de cabelo na cômoda.)*

O que é isto?

Kleinman: O quê?

Sam: Isto. No seu pente. Um fio de cabelo.

Kleinman: Penteio o cabelo com ele.

Sam: A cor é igual à do cabelo encontrado pela polícia!

Kleinman: Ficou louco, cara? Esse é um cabelo preto! Há milhões de cabelos pretos por aí! Por que está pondo ele num envelope? Ora – É a coisa mais comum! Olhe lá – *(Aponta para John.)* – ele tem cabelo preto!

John: *(Agarra Kleinman.)*
Está me acusando, Kleinman?

Kleinman: Quem, eu, te acusando? Ele pôs o meu fio de cabelo num envelope! Quero esse cabelo de volta! *(Agarra o envelope, mas John o segura firme.)*

John: Pare com isso!

Sam: Estou cumprindo o meu dever.

Victor: Ele tem razão. A polícia pediu a ajuda de todos.

Hacker: Daí o nosso plano.

Kleinman: Qual plano?

Al: Podemos contar com você, não é?

John: Não queremos indecisos!

Victor: Ora, claro que podemos contar com Kleinman. Ele faz parte do plano!

Kleinman: Eu faço parte do plano? Então qual é o plano?

John: Você saberá. Não se preocupe.

Kleinman: E para isso ele precisa do meu fio de cabelo dentro de um envelope?

Sam: Vista-se e nos encontre lá fora. E depressa! Estamos perdendo tempo!

Kleinman: Está bem, mas me deem uma dica. Como é o plano?

Hacker: Depressa, Kleinman! Isso é uma questão de vida ou morte. É melhor vestir um agasalho. Está frio lá na rua.

Kleinman: Está bem, está bem... mas me contem o plano. Se eu souber como é, posso ter alguma ideia!

(Todos saem, deixando Kleinman se vestindo. Ele está muito nervoso.)

Kleinman: Onde está minha calçadeira? Isso é ridículo. Acordar uma pessoa a estas horas e com... essas notícias... Para que pagamos impostos, afinal? A polícia não está aí para isto? Estou... dormindo tranquilamente, e, daí a pouco, me vejo às voltas com um tarado homicida que chega por trás e – quando você menos espera....

(Anna, uma velha governanta, entra por trás de Kleinman, segurando uma vela e o *assusta sem querer.)*

Anna: Kleinman?

Kleinman: *(Virando-se assustado, borrando-se todo.)* Quem é???

Anna: O quê?

Kleinman: Porra, Anna, não me dê mais desses sustos!

Anna: Ouvi vozes.

Kleinman: Algumas pessoas estiveram aqui. De repente, fui recrutado para caçar um tarado!

Anna: Agora?

Kleinman: Aparentemente há um assassino à solta. E não pode esperar para ser preso de manhã. Deve ser uma coruja.

Anna: Ah, o tarado!

Kleinman: Se você sabia sobre isto, por que não me contou?

Anna: Porque, todas as vezes que tentei, você não queria escutar.

Kleinman: Quem não queria?

Anna: Estava sempre muito ocupado com o trabalho, com seus passatempos...

Kleinman: Você se incomoda com o fato de estarmos na época do ano em que se vende mais?

Anna: Tentei contar a respeito dos crimes, uma, duas, seis vezes, e você só sabia dizer: "Depois! Depois!".

Kleinman: Por causa da hora que você escolhia para me contar!

Anna: Ah, é?

Kleinman: Na minha festa de aniversário, por exemplo. Estou soprando as velinhas ou abrindo os presentes, e vem você me dizer: "Viu o que deu no jornal? Cortaram a goela de uma moça!". Não podia escolher hora mais própria? Um homem não pode ter um momento de alegria que sempre vem alguém com más notícias!

Anna: Nenhuma hora é apropriada para dar más notícias!

Kleinman: Por falar nisso, onde está minha gravata?

Anna: Gravata? Pensei que fosse caçar o tarado!

Kleinman: E daí?

Anna: O que é isto? Uma caçada a rigor?

Kleinman: E eu lá sei quem posso encontrar? E se meu patrão aparece de repente?

Anna: Aposto como ele estaria vestido normalmente.

Kleinman: Nunca se sabe. Se eu, que sou um mísero caixeiro de loja, ando atrás de tarados, por que não ele?

Anna: Não deixe o tarado surpreendê-lo por trás.

Kleinman: Obrigado Anna. Vou dizer ao tarado que você sugeriu que ele só me surpreenda pela frente.

Anna: Não seja cretino. Ele tem de ser apanhado.

Kleinman: Então por que a polícia não cuida disto? Estou com medo de ir lá. Está frio e escuro.

Anna: Seja homem pelo menos uma vez na vida!

Kleinman: Isso é fácil de dizer, principalmente porque você vai voltar para a cama e dormir.

Anna: E se ele resolvesse me pegar e entrasse pela janela?

Kleinman: Bem, aí é que eu queria ver.

Anna: Se ele me atacar, jogo pimenta no olho dele. Ele que ouse!

Kleinman: Joga o quê?

Anna: Eu durmo com um vidrinho de pimenta na mesa de cabeceira. Se ele chegar perto de mim, já sabe!

Kleinman: Você é um gênio, Anna. Se o tarado entrar aqui, você e sua pimenta não dão nem para a saída!

Anna: Vou passar a tranca nas janelas.

Kleinman: Hmmm, quem sabe não era bom eu levar um pouco da pimenta?...

Anna: Tome isto.

(Dá-lhe um amuleto – de preferência, uma ferradura.)

Kleinman: O que é isto?

Anna: Para dar sorte. Comprei-a de um mendigo aleijado.

Kleinman: *(Olha para a ferradura, não muito impressionado.)* Obrigado. Mas prefiro a pimenta.

Anna: Não se preocupe. Você não estará sozinho.

Kleinman: É verdade. Além disso, eles têm um plano ótimo!

Anna: Qual plano?

Kleinman: Ainda não sei.

Anna: Então como sabe que é ótimo?

Kleinman: Porque sei! Eles são os caras mais inteligentes que conheço. Sabem o que estão fazendo.

Anna: Espero que sim – por sua causa.

Kleinman: Eu também. Mantenha a porta fechada e não abra para ninguém – nem mesmo para mim, a não ser que eu esteja gritando "Abra a porta!!!" Nesse caso, abra imediatamente!

Anna: Boa sorte, Kleinman.

Kleinman: (*Olha pela janela e vê tudo escuro.*) Veja como está lá fora. Escuro como um breu ...

Anna: Não estou vendo ninguém.

Kleinman: Nem eu. Pensei que houvesse bandos de gente, com tochas acesas...

Anna: Bem, já que eles têm um plano...

(Pausa.)

Kleinman: Anna...

Anna: Sim?

Kleinman: *(Ainda olhando para fora.)*

Já pensou na morte?

Anna: Por que eu pensaria nisto? Você já?

Kleinman: Várias vezes. Mas nunca sendo estrangulado ou esgoelado...

Anna: Nem eu.

Kleinman: Preferia morrer de maneira mais agradável.

Anna: Ah, isto é o que não falta!

Kleinman: Por exemplo?

Anna: Como por exemplo? Você não está me perguntando uma maneira agradável de morrer?

Kleinman: Sim.

Anna: Estou pensando.

Kleinman: Sim.

Anna: Envenenado.

Kleinman: Envenenado?! Mas isto é horrível!

Anna: Por quê?

Kleinman: Dá câimbras pelo corpo inteiro!

Anna: Nem sempre.

Kleinman: E desde quando você entende de veneno?

Anna: Entendo de flit, formicida, DDT...

Kleinman: Oh, que especialista! Mas não adianta, porque não vou morrer envenenado. Lembra-se de quando comi suas empadinhas de camarão?

Anna: Aquilo não foi envenenamento. Foi intoxicação.

Kleinman: Nunca mais comerei suas empadinhas de camarão.

Anna: Então, como gostaria de morrer?

Kleinman: De velhice. Com muitos anos pela frente. Depois de atravessar a longa estrada da vida. Com milhares de parentes chorando em volta da minha cama. De preferência, aos noventa anos.

Anna: Mas isto não passa de um sonho. É muito mais provável que você seja estrangulado ou degolado. É difícil chegar aos noventa anos.

Kleinman: Como fico tranquilo discutindo essas coisas com você, Anna.

Anna: Bem, estou preocupada por você. Olhe lá para fora. Há um tarado à solta, e montes de lugares onde se esconder numa noite escura como esta – becos, vielas, esquinas... Seria impossível ver o tarado. E, de repente, uma sombra sai das trevas com uma corda de piano na mão e...

Kleinman: Você me convenceu. Vou voltar para a cama!

(Batem na porta e ouve-se uma voz.)

Voz: Vamos logo, Kleinman!

Kleinman: Estou indo, estou indo! *(Beija Anna.)* Tchau! Espero voltar vivo.

Anna: Tome cuidado!

(Sai, juntando-se a Al, que tinha ficado para trás a fim de certificar-se de que ele iria.)

Kleinman: Não sei por que isto é da minha conta!

Al: Estamos todos juntos nesse negócio, Kleinman.

Kleinman: Com a minha sorte, aposto que sou eu que vou encontrar o tarado. Oh, esqueci a pimenta!

Al: O quê?

Kleinman: Ei, onde estão os outros?

Al: Foram tomar suas posições. Temos tudo cronometrado para o plano dar certo.

Kleinman: E qual é o grande plano?

Al: Você vai descobrir.

Kleinman: E quando vão me contar? Depois que ele for capturado?

Al: Não seja impaciente.

Kleinman: Escute – é tarde da noite, está um frio cão e estou com medo. Por que não posso estar impaciente?

Al: Hacker e os outros tiveram de se mandar, mas disseram que você ficará sabendo o mais depressa possível a sua parte no plano.

Kleinman: Hacker disse isto?

Al: Disse.

Kleinman: E, enquanto isto, agora que me tiraram do meu quarto e da minha cama quentinha, vou fazer o quê?

Al: Esperar.

Kleinman: Esperar o quê?

Al: Pela informação.

Kleinman: Qual informação?

Al: De qual é a sua parte no plano.

Kleinman: Vou voltar para casa.

Al: Não se atreva! Um passo em falso neste momento poria todas as nossas vidas em risco. Acha que quero virar presunto?

Kleinman: Então me conte o plano!

Al: Não posso.

Kleinman: Por que não?

Al: Porque também não sei...

Kleinman: Olhe, está fazendo frio e...

Al: Cada um de nós conhece apenas uma parte do plano, e mesmo assim em determinados momentos, e apenas nossa própria função. Ninguém pode discutir sua função com os outros. É uma precaução para que o tarado também não descubra. Se cada um de nós fizer exatamente o que tem a fazer, tudo dará certo. Se alguma coisa sair errado, ninguém poderá revelar o plano, nem mesmo sob tortura. Poderá apenas confessar a sua parte, a qual não fará nenhum sentido para o tarado.

Kleinman: Brilhante! Para mim também não faz sentido. Vou voltar para casa!

Al: Não posso dizer mais nada. Suponhamos que fosse você quem matou todo mundo?

Kleinman: Eu???

Al: O tarado pode ser qualquer um de nós!

Kleinman: Bem, eu é que não sou! Não tive tempo para sair degolando pessoas. Os fregueses não me deixam nem respirar.

Al: Desculpe, Kleinman.

Kleinman: Então, qual é a minha parte? O que devo fazer?

Al: Se eu fosse você, tentaria colaborar da melhor maneira possível, até que sua função ficasse clara.

Kleinman: Colaborar como?

Al: É difícil de explicar.

Kleinman: Não pode me dar nem uma pista? Porque estou me sentindo como um idiota!

Al: As coisas podem parecer caóticas, mas não são.

Kleinman: Não sei por que tanta pressa para me arrancar da cama. Agora que estou aqui, todo mundo sumiu!

Al: Tenho que ir.

Kleinman: Por que era tão urgente?... Ir? Aonde você vai???

Al: Meu trabalho aqui terminou. Agora tenho de ir para outro lugar.

Kleinman: Isto quer dizer que vou ficar sozinho aqui???

Al: Talvez.

Kleinman: Como talvez?! Se estamos os dois juntos e você vai embora, é claro que fico sozinho! Isto é aritmética simples!

Al: Tenha cuidado.

Kleinman: Ah, isso é que não! Não vou ficar sozinho aqui!!! Pensa que sou maluco? Há um tarado à solta e não me dou bem com tarados. Sou uma pessoa muito lógica!

Al: O plano não nos permite ficar juntos.

Kleinman: Escute. Pensando bem, isto não é uma tragédia. Não precisamos ficar juntos. Eu e meus doze guarda-costas damos conta do recado! Não vá, Al!

Al: Preciso ir.

Kleinman: Não quero ficar sozinho! Estou falando sério!

Al: Não se esqueça de tomar cuidado.

Kleinman: Olhe, estou tremendo – e você ainda nem foi embora. Se o tarado aparecer, tenho medo de dar um vexame.

Al: Kleinman, outras vidas dependem de você. Não nos decepcione.

Kleinman: Não deviam ter contado comigo! Tenho muito medo de morrer. Morrer é uma das coisas que mais detesto fazer!

AL: Boa sorte.

KLEINMAN: E o tarado? Alguma novidade? Foi visto de novo?

AL: A polícia viu uma figura enorme e horrível perto da companhia de gelo. Mas ninguém sabe ao certo.

(Sai. Seus passos são ouvidos cada vez mais distantes.)

KLEINMAN: Pra mim chega! Vou ficar bem longe da companhia de gelo! *(Efeitos sonoros imitando o vento.)* Puxa, nada como passar a noite na rua! Não sei por que não pude esperar no meu quarto até que me dissessem o que fazer. Epa, o que foi esse barulho? Ah, é vento – e ainda por cima esse vento! E se cair um anúncio luminoso na minha cabeça? Preciso ficar calmo... As pessoas estão contando comigo. Tenho que ficar alerta e, se vir alguma pessoa suspeita, vou contar aos outros... Quem sabe se eu der uma volta pelo quarteirão não encontro algum dos outros? Não podem ter ido muito longe... A não ser que fosse isto que eles quisessem... Talvez faça parte do plano... Se alguma coisa perigosa me acontecer, Hacker estará me vigiando e chamará os outros para me salvar... *(Ri histericamente.)* Claro que ninguém me deixou sozinho para andar por estas ruas. Eles devem saber que eu não sou páreo para nenhum tarado. O tarado tem a força de dez homens, e eu só tenho a força de um e meio... A não ser que estejam me usando como isca! Mas será que eles fariam isto? Me deixar aqui como um patinho?... O tarado salta no meu pescoço e eles correm e o agarram... E se correrem muito devagar?... Nunca tive um pescoço muito forte... *(Uma figura embuçada surge por trás do cenário.)* O que foi isto? Talvez eu devesse voltar para casa... Estou começando a me distanciar muito... Como irão me encontrar para me dar instruções? E não só isto, como também estou indo para uma parte da cidade que não conheço muito bem... Acho que eu devia procurar minhas pegadas e voltar antes que me perca de vez... *(Ouve sons de passos lentos e ameaçadores na sua direção.)* Oh, meu Deus, isto são passos! O tarado deve ter pés... É ele?

Médico: Kleinman, é você?

Kleinman: O quê?! Quem é???

Médico: Sou eu, o médico.

Kleinman: Ai, que susto! Escute, ouviu alguma coisa de Hacker ou dos outros?

Médico: A respeito da sua parte no plano?

Kleinman: É. O tempo está passando e continuo andando por estas ruas como um pateta. Quer dizer, estou alerta, mas, se ao menos soubesse o que devo fazer...

Médico: Hacker disse alguma coisa a seu respeito.

Kleinman: O quê?

Médico: Não me lembro.

Kleinman: Genial! Estão pouco ligando!

Médico: Acho que o ouvi dizer alguma coisa. Não estou bem certo.

Kleinman: Olhe, por que não ficamos juntos? No caso de alguma coisa acontecer.

Médico: Só um pouquinho. Tenho outras coisas para fazer.

Kleinman: É engraçado ver um médico na rua à noite. Eu sei como vocês detestam fazer visitas em casa... Ha-ha-ha. *(Médico não ri.)* Puxa, que frio! *(Não responde.)* O senhor acha que ele será encontrado esta noite? (*Não responde.*) O senhor deve ter uma função importante no plano, não é? Sabe, até agora não faço a menor ideia da minha.

Médico: Meu interesse neste caso é puramente científico.

Kleinman: Claro.

Médico: É a minha oportunidade de descobrir alguma coisa sobre a natureza da insanidade. Por que ele é tarado? O que conduz alguém a tal tipo de comportamento antissocial? Terá outras características incomuns? Às vezes, os mesmos impulsos que fazem um maníaco matar inspiram-no a objetivos altamente criativos. É um fenômeno muito complexo. Além disso, gostaria de saber se ele é um maníaco nato ou se sua loucura foi provocada por alguma doença ou acidente que lhe tenha danificado o cérebro ou, quem sabe, pelo *stress* acumulado em circunstâncias adversas. Há milhões de fatos a averiguar. Por exemplo: Por que ele exprime seus impulsos matando? Fará isto por espontânea vontade ou pensa que ouve vozes? Como você sabe, houve uma época em que se pensava que os loucos eram inspirados por Deus. Tudo isso precisa ser profundamente analisado.

Kleinman: Claro, mas primeiro temos de apanhá-lo.

Médico: Sim, Kleinman, se me deixarem, estudarei essa criatura escrupulosamente, dissecando-o até o último cromossoma. Gostaria de pôr cada uma de suas células sob o microscópio. Para saber do que são compostas. Analisar seus sucos, investigar-lhe o sangue, explorar seu cérebro, até ter 100% de certeza do que ele é em todos os seus menores detalhes.

Kleinman: Mas pode-se realmente conhecer uma pessoa? Quero dizer, conhecê-lo. Não saber como ele é, mas conhecê-lo, conhecê-lo mesmo. Sabe o que eu quero dizer por conhecer? Significa conhecer de verdade. Realmente conhecer. Sabe, conhecer para valer. Enfim: conhecer!

Médico: Kleinman, Você é um idiota.

Kleinman: Entendeu o que eu quis dizer?

Médico: Faça o seu trabalho e eu faço o meu .

Kleinman: Mas não sei qual é o meu trabalho.

Médico: Então, não dê palpite.

Kleinman: Quem está dando palpite? *(Ouve-se um grito. Falam ao mesmo tempo.) O que foi isto???*

Médico: Ouviu passos atrás de nós?

Kleinman: Estou ouvindo passos desde os oito anos de idade!

(Ouve-se outro grito.)

Médico: Alguém está vindo para cá.

Kleinman: Talvez ele tenha ficado furioso com aquela história de ser dissecado.

Médico: É melhor dar o fora daqui, Kleinman!

Kleinman: Com todo o prazer!

Médico: Rápido! Rápido!

(Ruídos de alguém aproximando-se pesadamente.)

Kleinman: Este beco não tem saída!

Médico: Sei o que estou fazendo!

Kleinman: Está certo, mas ele vai nos encurralar e matar!

Médico: Não discuta comigo! Sou um médico!

Kleinman: Mas conheço este beco! Não tem saída! Não há como fugir!

Médico: Está bem, Kleinman. Faça como quiser. Adeus!

(O médico corre para o beco sem saída.)

Kleinman: *(Chamando por ele.)* Espere – desculpe! *(Ruído de alguém que se aproxima.)* Tenho que ficar calmo! Devo correr ou me esconder? Já sei: vou correr e me esconder! (*Corre e esbarra com uma moça.)* Ai!

Gina: Ai!

Kleinman: Quem é você?

Gina: Quem é você?

Kleinman: Sou Kleinman. Não ouviu gritos?

Gina: Ouvi, e quase morri de medo. Não sabia de onde estavam vindo!

Kleinman: Não importa. O fato é que eram gritos, e detesto gritos!

Gina: Estou assustada!

Kleinman: Vamos dar o pira!

Gina: Não posso ir muito longe. Tenho o que fazer aqui!

Kleinman: Você também está no plano?

Gina: E você, não?

Kleinman: Estou e não estou. Ninguém me disse o que fazer. Não ouviu nenhuma instrução a meu respeito?

Gina: Você é Kleinman.

Kleinman: Isso mesmo.

Gina: Ouvi qualquer coisa a respeito de um Kleinman. Não me lembro o quê.

Kleinman: Sabe onde está Hacker?

Gina: Hacker foi assassinado.

Kleinman: O quê?!

GINA: Acho que era Hacker.

KLEINMAN: Hacker está morto?

GINA: Não tenho certeza se disseram Hacker ou outro nome parecido.

KLEINMAN: Ninguém tem certeza de nada! Ninguém sabe nada! Que beleza de plano! Estamos caindo como moscas!

GINA: Talvez não fosse Hacker.

KLEINMAN: Vamos para bem longe daqui. Me distanciei do lugar onde devia ficar e devem estar procurando por mim. Se o plano falhar, vão acabar me botando a culpa!

GINA: Não sei quem morreu – se Hacker ou Maxwell.

KLEINMAN: Eu sei, também acho difícil guardar os nomes. E o que uma moça como você está fazendo na rua? Isso é um trabalho de homem!

GINA: Estou acostumada a andar na rua à noite.

KLEINMAN: Oh!

GINA: É isso aí, sou prostituta.

KLEINMAN: Não brinque! Puxa, eu nunca tinha visto uma antes... Achava que vocês fossem um pouco mais altas...

GINA: Está chocado?

KLEINMAN: Para dizer a verdade, sou meio provinciano...

GINA: É mesmo?

KLEINMAN: Sabe, nunca fiquei acordado até esta hora. Quero dizer, *nunca.* A não ser que estivesse com insônia ou passando mal. Mas, geralmente, vou para a cama bem cedinho.

GINA: Bem, apesar dos pesares, a noite está linda.

KLEINMAN: É.

GINA: Olhe: milhões de estrelas.

KLEINMAN: Pois é, mas continuo nervoso. Se pudesse, estaria roncando. Tenho medo da noite. Todas as lojas estão fechadas. Não há carros na rua, pode-se andar de olhos fechados...

GINA: Não é ótimo isto?

KLEINMAN: É meio... estranho. Não há civilização. Se eu quisesse, podia tirar as calças e andar nu por aí.

GINA: Pois é.

KLEINMAN: Quero dizer, eu nunca faria isto! Só se quisesse.

GINA: Para mim, a cidade à noite é fria, escura e vazia. Parece um outro planeta.

KLEINMAN: Nunca gostei de outros planetas.

GINA: Dá na mesma. A Terra é uma bola flutuando no espaço... Nunca sabemos para onde ela vai...

KLEINMAN: E você acha isto ótimo? Eu prefiro saber para onde vão as coisas e também onde fica o banheiro.

GINA: Você acha que há vida em alguma daquelas estrelas?

KLEINMAN: Nunca pensei muito no assunto. Ouvi dizer que talvez houvesse vida em Marte, mas o sujeito que me contou isto trabalha no ramo de malharias.

GINA: E o universo continua se movendo através da eternidade...

KLEINMAN: Como através da eternidade? Mais cedo ou mais tarde, vai ter de parar, certo? Quer dizer, um dia vai esbarrar em alguma coisa – numa parede ou coisa assim. Seja lógica.

Gina: Está querendo dizer que o universo é finito?

Kleinman: Não estou querendo dizer nada, e não me comprometa. Só quero saber o que eu devia estar fazendo aqui.

Gina: *(Apontando para o céu.)* Veja, lá está Gêmeos...

Kleinman: Onde está vendo Gêmeos? Não são nem parecidos!

Gina: Veja aquela estrelinha lá em cima... tão sozinha. Mal se consegue enxergá-la.

Kleinman: Sabe a que distância ela fica? Detestaria te contar.

Gina: O que estamos vendo é apenas a luz que ela emitiu há milhões de anos. E só agora está nos chegando.

Kleinman: Não brinque!

Gina: Sabia que a luz viaja a trezentos mil quilômetros por segundo?

Kleinman: Acho rápido demais. Não sei por que tanta pressa. Gosto de fazer as coisas devagar.

Gina: Aquela estrela pode ter desaparecido há milhões de anos, e sua luz, viajando a trezentos mil quilômetros por segundo, levou milhões de anos para chegar até nós.

Kleinman: Quer dizer que ela pode nem estar mais lá?

Gina: Isso mesmo.

Kleinman: Mesmo que eu a esteja vendo com os meus próprios olhos?

Gina: Isso mesmo.

Kleinman: Isso é muito chato, porque, quando vejo uma coisa, gosto de pensar que a coisa está lá. Quer dizer, se isto é verdade, tudo poderia ser assim – quer dizer, tudo pode ter acabado, só que a gente não sabe!

Gina: Kleinman, quem sabe ao certo o que é o real?

Kleinman: O real é aquilo que você pode tocar com as mãos.

Gina: Oh! *(Ele a beija, ela corresponde voluptuosamente.)* São seis dólares, por favor.

Kleinman: Por que seis dólares?

Gina: Ué, você gostou, não foi?

Kleinman: Um pouquinho, sim...

Gina: Bem, estou aqui a negócios, meu filho.

Kleinman: Mas seis dólares por um beijo! Com esse dinheiro, eu poderia comprar um cachecol novo!

Gina: Está bem, faço por cinco dólares.

Kleinman: Nunca beija ninguém de graça?

Gina: Kleinman, isto é uma profissão. Por prazer, só beijo mulheres.

Kleinman: Mulheres? Que coincidência. Eu também!

Gina: *(Embolsando o dinheiro.)* Tenho que ir.

Kleinman: Desculpe se a ofendi...

Gina: Não me senti ofendida. É que tenho que ir.

Kleinman: Você estará a salvo?

Gina: Tenho minhas funções a cumprir. Boa sorte. Espero que encontre o que procura.

Kleinman: *(À medida que ela se afasta.)*

Eu não quis agir como um animal. Sabe, sou uma das pessoas mais educadas que eu conheço! *(Os passos dela somem na noite e ele fica sozinho de novo.)* Bem, isto já foi longe demais. Vou voltar para casa. E se, amanhã, um deles aparecer e perguntar onde eu estava? Vão dizer que o plano fracassou e que foi culpa de Kleinman. Como pode ser minha culpa? E qual é a diferença? Eles encontrarão um jeito, porque precisam de um bode expiatório. Talvez seja esta a minha parte no plano. Sou sempre culpado quando nada dá certo. Eu... *(Ouve um gemido.)* O que é isto? Quem está aí?

Médico: *(Cambaleia pelo palco, mortalmente ferido.)* Kleinman...

Kleinman: Doutor!

Médico: Estou morrendo...

Kleinman: Vou chamar um médico!

Médico: Eu sou um médico...

Kleinman: Eu sei, mas está morrendo!

Médico: É tarde demais. Ele me pegou, Kleinman. Não havia para onde correr...

Kleinman: Socorro! Socorro!

Médico: Não grite, burro! Quer que – ai! – o tarado o encontre?

Kleinman: Já não estou me importando! Socorro! *(Pensando melhor, abaixa o tom de voz.)* So-cor-ro... Como é ele? Conseguiu vê-lo bem?

Médico: Não. Foi de repente... Ele me apunhalou por trás...

Kleinman: Que pena que não o tenha apunhalado de frente. Talvez o tivesse visto!

Médico: Estou morrendo, Kleinman...

Kleinman: Desculpe, não tive intenção...

Médico: Que coisa estúpida para se dizer!

Kleinman: O que posso fazer? Estou tentando bater papo enquanto o senhor não bate as botas e...

(Um homen entra correndo.)

Homem: O que aconteceu? Alguém pediu socorro aí?

Kleinman: O médico está morrendo. Chame o pronto-socorro. Espere! Ouviu alguma coisa sobre mim?

Homem: Quem é você?

Kleinman: Kleinman.

Homem: Kleinman... Kleinman... Sim, estão procurando por você... Parecia importante!

Kleinman: E o que era?

Homem: Alguma coisa a ver com a sua parte no plano.

Kleinman: Até que enfim!

Homem: Vou lhes dizer que estive com você.

(Sai.)

Médico: Kleinman, você acredita em reencarnação?

Kleinman: O que é isto?

Médico: Reencarnação – é quando uma pessoa volta de novo à vida no corpo de outro ser...

Kleinman: Como o quê, por exemplo?

Médico: Bem... Qualquer outro ser vivo...

Kleinman: Mesmo um animal?

Médico: Sim.

Kleinman: Quer dizer que o senhor pode voltar transformado num sapo?

Médico: Deixe pra lá, Kleinman. Faça de conta que eu não disse nada.

Kleinman: Escute, tudo é possível, mas é difícil imaginar que, digamos, o presidente de uma multinacional volte como uma cotia!

Médico: Está ficando tudo tão escuro...

Kleinman: Olhe, por que não me conta qual era a sua parte no plano? Como o senhor estará incapacitado, eu poderia fazer a sua parte, porque até agora não sei qual é a minha.

Médico: Minha parte não serve para você. Só eu poderia desempenhá-la.

Kleinman: Que diabo, não sei se estamos pecando por excesso ou por falta de organização!

Médico: Não nos falhe, Kleinman. Precisamos de você...

(Morre.)

Kleinman: Doutor! Doutor! Oh, meu Deus... O que vou fazer? Que merda, vou para casa! Eles que se danem. Mas não quero que me culpem por nada. Mas como podem me culpar? Vim quando me chamaram. E não me disseram o que eu tinha de fazer. *(Entra um guarda com o homem que tinha ido buscar socorro.)*

Homem: Quem está morrendo aí?

Kleinman: Sou eu.

Guarda: Você? E ele?

Kleinman: Ele já morreu.

Guarda: Era seu amigo?

Kleinman: Extraiu minhas amígdalas.

(Guarda ajoelha-se para examinar o corpo.)

Homem: Já estive morto uma vez.

Kleinman: Como disse?

Homem: Morto. Já estive morto. Foi na guerra. Ferido. Eu estava na mesa de operações. Os médicos lutavam para me salvar. De repente, um deles perdeu o meu pulso e não conseguiu encontrá-lo. Estava tudo perdido. Mas um deles, segundo me contaram, teve a presença de espírito de me fazer massagem no coração. Aí ele começou a bater de novo e ressuscitei. Mas, por um breve momento, estive clinicamente, oficialmente morto. Isso foi há muito tempo, mas até hoje sinto uma grande solidariedade com quem morre.

Kleinman: E como é o negócio?

Homem: O quê?

Kleinman: Estar morto. Vê-se alguma coisa?

Homem: Não. É apenas... o nada.

Kleinman: Não se lembra de nada além-túmulo?

Homem: O que está dizendo? Não cheguei a ser enterrado!

Kleinman: Nem ouviu, por acaso, o meu nome?

Homem: Não ouvi nada. Não há nada depois, Kleinman. Nada.

Kleinman: Não quero morrer. Pelo menos, por enquanto. Não quero que me aconteça o que aconteceu a ele. Encurralado num beco... esfaqueado... os outros estrangulados... até mesmo Hacker... pelo tarado...

Homem: Hacker não foi morto pelo tarado!

Kleinman: Não?

Homem: Hacker foi assassinado pelos dissidentes!

Kleinman: Dissidentes?

Homem: A outra facção. O racha.

Kleinman: Que outra facção?

Homem: Não sabia que há outra facção?

Kleinman: Não sei de nada! Sou sempre o último a saber!

Homem: São uma minoria, liderada por Sheperd e Willis. Sempre divergiram da estratégia de Hacker sobre o tarado.

Kleinman: O quê?

Homem: Bem, é verdade que Hacker não estava conseguindo nada.

Kleinman: E daí? A polícia também não!

Guarda: *(Levantando-se.)* Mas vamos conseguir. Se, pelo menos, os paisanos parassem de meter o nariz.

Kleinman: Pensei que vocês tivessem pedido ajuda à população!

Guarda: Ajuda, sim, mas não toda essa zorra. Mas não se preocupe. Já temos montes de pistas e estamos passando tudo para o computador. Temos os melhores computadores. Vamos ver por quanto tempo esse tarado resiste.

Kleinman: Então, quem matou Hacker?

Guarda: Houve um racha no grupo de Hacker.

Kleinman: Quem? Sheperd e Willis?

Guarda: Vários passaram para o lado deles. E ouvi dizer que já houve um novo racha dentro do novo grupo.

Kleinman: Mais uma facção?

Guarda: E até com boas ideias sobre como pegar o tarado. É do que precisamos. Se falha um plano, logo aparece outro. Ideias novas! Isso é natural. Você é contra ideias novas?

Kleinman: Eu? Não! Mas eles mataram Hacker...

Homem: Porque ele era dogmático. Por causa de sua teimosia a respeito daquele plano estúpido. E que nunca daria certo.

Kleinman: Quer dizer que há vários planos?

Homem: Claro. E espero que você não esteja com saudades do plano de Hacker. Muitos ainda estão.

Kleinman: Eu nem sabia qual era o plano de Hacker!

Homem: Ótimo. Então, talvez ainda possa ser útil para nós.

Kleinman: Quem é "nós"?

Homem: Não se faça de inocente.

Kleinman: Não estou me fazendo de inocente!

Homem: Venha.

Kleinman: Não! Não sei o que está acontecendo!

Homem: *(Encosta faca no pescoço de Kleinman.)* Há vidas em jogo, seu verme imbecil. Faça sua escolha!

Guarda: Agora você quer ajuda. Mas, na semana passada, nos achava uns burros, porque não conseguíamos pegar o tarado.

Kleinman: Eu nunca disse nada!

Homem: Escolha, bichona!

Guarda: Estamos trabalhando 24 horas por dia e ninguém nos agradece. Tropeçando a todo momento em pistas falsas, perdendo tempo. Há centenas de doidos nesta cidade dizendo que são o tarado, querendo ser presos para saírem no jornal.

Homem: Já estou com vontade de cortar o seu pescoço, seu frouxo!

Kleinman: Estou ansioso para colaborar. É só me dizerem como!

Homem: Está com Hacker ou conosco?

Kleinman: Hacker está morto.

Homem: Mas ainda tem seguidores. Ou quem sabe você prefere os novos dissidentes?

Kleinman: Se pelo menos me explicassem qual é o plano de cada grupo. Olhem, eu não conheço nem o plano de Hacker. Não sabia bulhufas de dissidências!

Homem: Ele não está se fazendo de bobo, Jack?

Guarda: Claro. Sabe de tudo, mas não diz nada, até a hora de agir. É um quinta-coluna.

(Entram os sobreviventes do grupo de Hacker.)

Hank: Então você está aí, Kleinman, onde esteve esse tempo todo?

Kleinman: Eu? E vocês, onde estiveram?

Sam: Você saiu de seu posto exatamente quando precisávamos de você.

Kleinman: Ninguém me disse nada!

Homem: Kleinman está conosco, agora.

John: É verdade, Kleinman?

Kleinman: O que que é verdade? Já não sei mais o que é verdade!

(Entram diversos homens. Fazem parte do grupo dissidente.)

Bill: Ei, Frank, esses caras estão criando problemas?

Frank: Não. Nem que quisessem.

Al: Ah, não?

Frank: Não.

Al: Já podíamos ter apanhado o tarado se vocês tivessem ficado em seus postos.

Frank: Rachamos com Hacker. O plano dele não ia dar certo.

Don: Isso mesmo. Nós vamos pegar o tarado. Deixem conosco.

John: Deixamos, uma conversa! Venha conosco, Kleinman.

Frank: Você não vai com eles, vai?

Kleinman: Eu? Sou neutro! Sou a favor de quem tiver o melhor plano!

Henry: Não há neutros, Kleinman.

Homem: Quem não está conosco está contra nós.

Kleinman: Como posso escolher se não conheço as alternativas? É uma que questão de peras ou maçãs? Por que as duas não podem ser tangerinas?

Frank: Vamos matá-lo agora.

Sam: Acabou esse negócio de matar!

Frank: Ah é?

Sam: É. E, quando pegarmos o tarado, alguém vai pagar pela morte de Hacker.

Kleinman: Enquanto estamos parados discutindo, o tarado pode estar matando alguém! Por que não entramos num acordo?

Sam: Diga isto a eles.

Frank: O que importa são os resultados.

Don: Vamos acabar com esses idiotas agora! Se não, vão continuar no nosso caminho, atrapalhando!

Al: Então tente, parrudo!

Bill: Não vamos só tentar.

(Facas e porretes são puxados e brandidos.)

Kleinman: Amigos – rapazes...

Frank: Escolha agora, Kleinman. Chegou a hora!

Henry: É melhor escolher bem, Kleinman. Só haverá um vencedor.

Kleinman: Vamos nos matar uns aos outros e o tarado continuará solto! Não entendem? Eles não entendem... *(Começa a luta. De repente, todo mundo para e olha. Entra no palco uma espécie de procissão religiosa, conduzida por um líder.)*

Líder: O tarado! Localizamos o tarado!

(A *luta para. Todos perguntam: "O quê? O quê?". Do grupo parte Hans Spiro, que não para de fungar, como se estivesse cheirando alguma coisa.)*

Guarda: É Hans Spiro, o telepata. Pusemos o caso em suas mãos. Ele é vidente.

Kleinman: É mesmo? Aposto como já acertou na loteria!

Guarda: Já resolveu vários crimes. Basta se concentrar e cheirar. Leu minha mente outro dia na delegacia e descobriu com quem eu tinha ido para a cama.

Kleinman: Com sua mulher.

Guarda: (*Depois de olhar feio para Kleinman.)* Ele é um gênio! Nascido com poderes paranormais!

Líder: O Sr. Spiro, nosso vidente, está a ponto de desmascarar o assassino. Por favor, saiam do caminho. *(Siro continua cheirando o ar.)* O Sr. Spiro quer cheirá-lo.

Kleinman: Eu?

Líder: Sim.

Kleinman: Por quê?

Líder: Não interessa. Ele quer, e pronto.

Kleinman: Não quero ser cheirado!

Frank: O que tem a esconder?

(OUTROS improvisam, aprovando.)

Kleinman: Nada! Fico nervoso!

Guarda: Ande logo, cheire-o.

(Spiro sai cheirando. Kleinman sente-se sem jeito.)

Kleinman: O que ele está fazendo? Não tenho nada a esconder. Meu casaco deve estar cheirando a naftalina. Não é isto que você está sentindo? Agora pare de me cheirar, estou ficando nervoso!

Al: Está nervoso, Kleinman?

Kleinman: Nunca gostei de ser cheirado. *(Spiro cheira com cada vez mais força.)* Qual é, afinal? Por que estão me olhando desse jeito? Ah, já sei, derramei molho inglês na calça... Ainda deve estar cheirando um pouco – não muito... Foi num restaurante... Gosto de bife ao ponto. Está bem, malpassado. Você pede malpassado e te trazem um bife cru. Vocês sabem disso, não sabem?

Spiro: Este homem é um assassino.

Kleinman: O quê?!

Guarda: Kleinman?

Spiro: Sim. Kleinman.

Guarda: Não é possível!

Líder: Spiro conseguiu de novo!!!

Kleinman: Do que estão falando? Parece que bebem!

Spiro: Ele é o culpado.

Kleinman: Ele é louco! Esse Spiro é louco!

Henry: Então, Kleinman, era você?

Frank: *(Gritando.)*

Atenção todo mundo! Pegamos o tarado!

Kleinman: O que estão fazendo?

Spiro: Não há dúvida. Não há a menor dúvida.

Bill: Por que fez isto, Kleinman?

Kleinman: Fiz o quê? Vocês vão acreditar nesse cara? Só porque ele me cheirou?

Líder: Os poderes paranormais do Sr. Spiro nunca falharam até hoje.

Kleinman: Esse cara é um vigarista! Como pode descobrir coisas cheirando?

Sam: Então Kleinman é o tarado. Eu nunca teria imaginado.

John: Por que fez isto, Kleinman?

Frank: É, por quê?

Al: Porque é louco, é claro. Pirado. Tantã!

Kleinman: Eu, louco? Olhem para a maneira como estou vestido!

Henry: Ele já não diz coisa com coisa. Fundiu mesmo a cuca.

Bill: Isso é comum entre loucos. Não conseguem ser lógicos em nada, exceto a respeito de sua própria loucura. Por isto parecem mais lógicos do que os outros.

Sam: E Kleinman sempre foi tão lógico.

Henry: Lógico até demais!

Kleinman: Vocês estão brincando, não é? Porque, se não for uma brincadeira, vou começar a gritar!

Spiro: Mais uma vez agradeço a Deus os poderes que achou por bem me conferir. Obrigado, Senhor!

John: Vamos enforcá-lo agora mesmo!

(Todos concordam.)

Kleinman: Não se aproximem! Não gosto de ser enforcado!

Gina: (*A prostituta.*) Ele tentou me atacar! Me agarrou de surpresa!

Kleinman: Tive de te pagar seis dólares!

(Todos o agarram.)

Bill: Eu trouxe a corda!

Kleinman: O que vão fazer???

Frank: Vamos limpar esta cidade de uma vez por todas!

Kleinman: Vocês vão enforcar um inocente! Eu não mataria nem uma mosca – bem, uma mosca talvez...

Guarda: Não podemos executá-lo sem julgamento.

Kleinman: Claro que não! Tenho certos direitos!

Al: E os direitos de suas vítimas, hem?

Kleinman: Que vítimas? Quero meu advogado! Ouviram? Mas eu nem tenho advogado!

Guarda: Declara-se culpado ou inocente, Kleinman?

Kleinman: Inocente! Completamente inocente! Não sou, nem nunca fui tarado! Nem como passatempo!

Henry: O que fez a fim de contribuir para a captura do tarado?

Kleinman: O que eu podia fazer? Ninguém me disse o que fazer!

John: Não achou que era sua responsabilidade descobrir por conta própria?

Kleinman: Como? Toda vez que perguntava, as pessoas me enrolavam!

Al: Era sua responsabilidade, Kleinman.

Frank: Isso mesmo. Não havia só um plano.

Bill: Claro. Tínhamos um plano alternativo.

Don: E ainda havia outros planos. Você podia ter escolhido qualquer um.

Sam: É por isso que não conseguiu escolher? Por que não queria escolher?

Kleinman: Escolher entre o quê? Então vamos lá, contem-me um dos planos. Gostaria de escolher!

Guarda: Agora é tarde.

Henry: Kleinman, você foi julgado e declarado culpado. Vamos enforcá-lo. Tem algum último desejo?

Kleinman: Sim. Gostaria de não ser enforcado.

Henry: Desculpe, Kleinman, mas já não podemos fazer nada.

Abe: *(Entra correndo.)*

Depressa! Venham depressa!!!

John: O que houve?

Abe: Encurralamos o tarado nos fundos do armazém!

Al: Impossível! Kleinman é o tarado!

Abe: Não! Ele foi descoberto tentando estrangular Edith Cox. Ela o identificou. Depressa! Precisamos de todo mundo!

Sam: É alguém que conhecemos?

Abe: Não, é um estranho. Mas ele fugiu!

Kleinman: Estão vendo, seus babacas? Iam enforcar um inocente!

Henry: Perdoe-nos, Kleinman.

Kleinman: Claro, claro. Toda vez que precisarem de um inocente, apareçam lá em casa com essa corda.

Spiro: Mas deve haver algum engano!

Kleinman: E você, seu enxerido! Não devia meter o nariz onde não é chamado! *(Todos saem correndo.)* Como é bom saber que vivemos cercados de amigos. Vou para casa! Já não é meu problema... Estou cansado e com frio... Puxa, que noite... E agora estou até perdido... Meu senso de direção está pior que o de um cego... Será para a direita? Ou para a esquerda? Acho que vou descansar um pouco antes de prosseguir. Ainda estou um pouco nauseado de medo... *(Ouve-se um ruído.)* E agora, o que foi isto?

Tarado: Kleinman?

Kleinman: Quem é você?

Tarado: *(Que se parece com Kleinman.)*

O tarado. Posso me sentar? Estou exausto!

Kleinman: O quê???

Tarado: Todo mundo está atrás de mim! Já corri por toda a cidade com gente querendo me pegar. E eles pensam que eu estou me divertindo!

Kleinman: V-v-você é o assassino?

Tarado: Claro. Ou preciso mostrar a identidade?

Kleinman: Tenho de dar o fora daqui!

Tarado: Não se precipite. Estou armado.

Kleinman: V-v-você vai me matar?

Tarado: Claro. É minha especialidade.

Kleinman: Você está louco!

Tarado: Estou, não. Sou. Acha que uma pessoa sã sai matando gente? E nem mesmo os assalto. É verdade! Ainda não lucrei um centavo com essas mortes. Ainda não roubei um pente.

Kleinman: Então, por que faz isto?

Tarado: Ora, por quê? Porque sou louco, pô!

Kleinman: Mas você parece normal!

Tarado: Não se pode confiar nas aparências. Sou tarado e pronto!

Kleinman: Eu sei, mas eu esperava um sujeito alto, horrível, apavorante...

Tarado: Isto não é teatro, Kleinman. Sou um homem comum, como você. O que esperava que eu tivesse? Garras?

Kleinman: Mas você já matou tanta gente forte, do dobro do seu tamanho...

Tarado: Claro. Porque os ataco pelas costas ou quando estão dormindo. Olhe, não quero criar confusão.

Kleinman: Mas por que faz isto?

Tarado: Porque sou doido varrido. Acha que eu sei?

Kleinman: E você gosta disso?

Tarado: Não é uma questão de gostar. Mato por matar.

Kleinman: Mas não vê como isso é ridículo?

Tarado: Se eu visse o ridículo da coisa, seria uma pessoa sã.

Kleinman: Há quanto tempo está desse jeito?

Tarado: Desde que me entendo por gente.

Kleinman: E não pode dar um jeito nisso?

Tarado: Quem pode dar jeito?

Kleinman: Médicos, por exemplo.

Tarado: Acha que os médicos sabem alguma coisa? Já estive neles. Fizeram exames de sangue, urina e raio X. Não conseguem achar a loucura. Não aparece nas radiografias.

Kleinman: E a psiquiatria? Eles entendem disso!

Tarado: São fáceis de enganar. Já cansei de tapeá-los.

Kleinman: Como?

Tarado: Ajo normalmente. Eles me mostram borrões de tinta. Aí me perguntam se tenho namorada. Eu digo que sim.

Kleinman: Mas isto é terrível!

Tarado: Tem algum último desejo?

Kleinman: É a segunda vez esta noite. Você não pode estar falando sério!

Tarado: Quer me ouvir rir como um tarado?

Kleinman: Não! Não consegue raciocinar? *(Tarado abre o canivete dramaticamente.)*

Se você não acha a menor graça em me matar, por que vai fazer isto? Não é lógico. Poderia usar o seu tempo construtivamente. Colecionando selos, por exemplo!

Tarado: Adeus, Kleinman.

Kleinman: Socorro! Socorro! O tarado!

(Kleinman é esfaqueado. Tarado foge. Junta-se uma pequena multidão. Podemos ouvir: "Ele está morrendo... Kleinman está morrendo... Está morrendo...".)

John: Kleinman... como era ele?

Kleinman: Como eu. Ohhhh...

John: Como assim, como você?

Kleinman: Parecido comigo...

John: Mas Jensen disse que o tarado se parecia com ele! Alto e louro, tipo sueco...

Kleinman: Ohhhh... Você é quem sabe... Quer que ele se pareça com Jensen ou comigo?

John: Está bem, não fique nervoso...

Kleinman: Então não diga asneira. Ele se parecia comigo...

John: Talvez estivesse disfarçado...

Kleinman: E vocês são uns bobos que engolem qualquer disfarce...

John: Tragam-lhe água!

Kleinman: Para que preciso de água?

John: Achei que você estivesse com sede...

Kleinman: Morrer não bota ninguém com sede. A não ser que você tenha sido esfaqueado logo depois de comer bacalhau...

John: Está com medo de morrer?

KLEINMAN: Não é bem isso. É que não quero estar vivo quando acontecer.

JOHN: *(Falsamente divertido.)*

Mais cedo ou mais tarde ele vai nos pegar a todos. Ha, ha, ha!

KLEINMAN: Ha, ha, ha! *(Delirando.)* Cooperar... Deus é o único inimigo...

JOHN: Pobre Kleinman... Está delirando...

KLEINMAN: Ohhh... ohhh... uuugggmmmfff.

(Morre.)

JOHN: Vamos embora. Temos de pensar num plano melhor.

KLEINMAN: *(Levanta-se um pouquinho.)*

E outra coisa: se houver vida depois da morte e formos parar todos no mesmo lugar, não me telefonem – deixem que eu telefono. *(Expira.)*

HOMEM: *(Entra correndo.)*

O tarado foi visto perto da estrada de ferro! Depressa! Vamos pegá-lo!

(*Todos saem para a perseguição e as luzes se apagam aos poucos.*)

de tradução para línguas estrangeiras, estão estritamente reservados, sendo que a permissão para quaisquer desses fins deve ser solicitada por carta ao agente do Autor.

Aplica-se particular ênfase à questão de leituras.

Todos os pedidos de licença e permissão devem ser dirigidos a Samuel French, Inc., 25 West 45th Street, New York, New York 10036, ou ao seu representante para a língua portuguesa, Lúcia Riff/ BMSR, Rua Visconde de Pirajá 414, sala 1108 – CEP 22410-002 – Rio de Janeiro-RJ.

Os Primeiros Ensaios

Estes são alguns dos primeiros ensaios de Woody Allen. Deixamos de transcrever os últimos, porque, vendo-se sem assunto, o Autor não chegou a escrevê-los. É possível que, à medida que envelhecer e compreender melhor a vida, Allen os escreva e depois retire-se para o seu quarto, lá permanecendo indefinidamente. Como os de Bacon, os ensaios de Allen são breves e cheios de sabedoria. Infelizmente, a falta de espaço não nos permite incluir a sua tese mais profunda: "O Lado Bom da Vida".

Sobre uma Árvore no Verão

De todas as maravilhas da natureza, a mais fantástica é uma árvore no verão – com a possível exceção de um alce de polainas cantando *Embraceable You.* O verão é quando as folhas estão mais verdes e folhudas do que nunca (se não, alguma coisa deve estar errada). Os galhos estendem-se em direção ao céu, como que tentando dizer: "Embora eu seja apenas um galho, também tenho direito a aposentadoria bem remunerada". E as variedades? Tal árvore assim-assim será um abeto ou um choupo? Ou uma sequoia gigante? Não, desconfio que não passa de uma mísera bananeira, e mais uma vez você sifu. É claro que até você poderia aprender a distinguir qualquer árvore em questão de segundos, desde que fosse um pica-pau – mas, nesse caso, como mandar cartões-postais aos que resolveram passar o inverno no deserto?

Por que qualquer árvore será muito mais interessante do que uma fonte que faça chuá chuá? Ou do que qualquer coisa que faça chuá chuá? Porque sua simples e gloriosa existência é um testemunho silente de uma inteligência maior que qualquer outra na Terra, principalmente na atual gestão presidencial. Como disse o poeta: "Só Deus consegue fazer uma árvore". Talvez porque seja tão difícil fazer com que cada macaco fique quieto no seu galho.

Certa vez, um lenhador preparava-se para atacar uma árvore com seu machado, quando notou gravado nela um coração flechado e dois nomes. Pondo de lado o machado, ele preferiu usar a serra, mais indolor. A moral da história me escapa neste momento, mas, seis meses depois, o lenhador foi processado por ensinar algarismos romanos a um anão.

Sobre Juventude e Velhice

O verdadeiro problema da maturidade não é saber a idade certa da pessoa, mas a sua reação ao acordar de repente em pleno centro da cidade, usando apenas bermudas. E de que importam os anos, afinal, principalmente com os aluguéis congelados? O que devemos ter em mente é que qualquer época da vida tem suas vantagens, embora seja difícil encontrar o interruptor de luz quando se está morto. O principal problema da morte, aliás, é o medo de que não haja vida depois dela – o que pode ser um pensamento pavoroso, principalmente para quem se deu ao trabalho de se barbear. Além disso, há o medo de que, embora possa haver vida depois da morte, ninguém saiba onde ela está se realizando. Mas há também o lado positivo: morrer é uma das poucas coisas que se pode fazer deitado.

Vamos pensar bem: será a velhice tão terrível? Não, se você tiver escovado os dentes quatro vezes por dia. E por que não há para-choques que nos protejam dos acidentes da vida? Ou um bom hotel à beira de certas estradas?

Em suma, o melhor que podemos fazer é nos comportarmos de acordo com nossa idade. Por exemplo: se você tem dezesseis anos ou menos, tente não ficar careca. Por outro lado, se você tiver mais de oitenta anos, é de extremo bom-tom sair pelas ruas com uma espada de pau e um capacete de papel, gritando: "Estamos sendo invadidos pelo Paraguai!". Lembre-se, tudo é relativo – ou devia ser, porque, se não for, vamos ter de começar tudo de novo.

Sobre a Frugalidade

À medida que envelhecemos, é importantíssimo conservar nossas economias, evitando gastar dinheiro em coisas inúteis, tais como geleia de pera ou chapéus de ouro maciço. O dinheiro não é tudo, mas é melhor do que ter saúde. Afinal, não se pode entrar num açougue, pedir um quilo de alcatra e dizer ao açougueiro: "Olhe como estou bronzeado. Vendendo saúde! Nunca fico gripado!". – E esperar que ele lhe entregue a carne. (A não ser, é claro, que seja um perfeito idiota.) É melhor ser rico do que ser pobre, quando nada por questões financeiras. Não que o dinheiro compre a felicidade. Vejam o caso da cigarra e da formiga. A cigarra cantou durante todo o verão, enquanto a formiga trabalhava e economizava. Quando chegou o inverno, a cigarra estava falida, mas a formiga estava sofrendo do peito. A vida é dura para os insetos. E não pensem que os ratos passam muito melhor. O fato é que todos precisamos de um ombro para nos encostarmos, embora isso costume amarrotar nosso terno novo.

Finalmente, nunca nos esqueçamos de que é mais fácil gastar dois dólares do que economizar um. E, pelo amor de Deus, nunca invistam dinheiro em firmas de corretagem cujos sócios já tenham puxado trenós no Alasca.

Sobre o Amor

É melhor amar ou ser amado? Nenhum dos dois, se a sua taxa de colesterol estiver acima de seiscentos. Pelo amor, naturalmente, refiro-me ao amor romântico – por exemplo, entre homem e mulher, e não àquele entre mãe e filho, uma criança e seu cão ou entre dois garçons.

O maravilhoso da coisa é que, quando se ama, tem-se um impulso de cantar. Deve-se resistir a isto a todo custo, tomando cuidado também para que o ardente apaixonado não "diga" as letras das músicas. É evidente que ser amado é diferente de ser admirado, já que sempre se pode ser admirado a distância – enquanto, para se amar de verdade uma pessoa, é preciso estar no mesmo quarto com ela e, de preferência, enrolado atrás das cortinas.

Para ser um grande amante, deve-se ser forte e, ao mesmo tempo, terno. Mas forte até que ponto? Acho que basta conseguir levantar trinta quilos. É preciso também ter em mente que, para quem ama, a mulher amada é sempre a coisa mais linda do mundo, mesmo que, para um estranho, ela seja indistinguível de um prato de mexilhões. A beleza está em quem vê. Se quem vê for míope ou estrábico deve perguntar à pessoa ao lado qual é a garota mais bonita. (Na realidade, as mais bonitas são geralmente as mais burras, e esta é uma das razões pelas quais muita gente não acredita em Deus.)

"As alegrias do amor duram apenas um instante", cantou o bardo, "mas suas dores duram uma eternidade." Esta canção tinha tudo para fazer sucesso, mas a melodia era muito parecida com a de *I'm a Yankee Doodle Dandy*.

A Respeito de Colher Violetas no Bosque

Isto não tem a menor graça, e eu recomendaria qualquer outra atividade. Visitar um amigo doente, por exemplo. Se não tiver nenhum (mesmo que são), vá ao teatro ou entre numa banheira quente com um livro. Qualquer coisa é melhor do que ser apanhado num bosque com um sorriso idiota e uma cesta de flores na mão. A próxima coisa que lhe poderá acontecer será sentir-se ligeiramente perdido: O que fazer com as violetas? "Ora, ponha-as num vaso", dirá você. Que resposta estúpida! Hoje basta ligar para o florista e encomendar as flores. Deixe que *ele* perca tempo no bosque, já que está sendo pago para isto. Assim, se cair uma tempestade ou se for atacado por um enxame de abelhas, o azar será dele, e não seu.

Não pensem por isto que eu seja insensível às alegrias da natureza, embora já tenha concluído que, como diversão, é difícil haver coisa melhor do que passar 48 horas jogando peteca com um maneta. Mas isto é outra história.

Guia Breve, Porém Útil, à Desobediência Civil

Para se fazer uma revolução, precisa-se de duas coisas: primeiro, alguém ou alguma coisa contra a qual se revoltar; segundo, alguém para fazer efetivamente a revolução. O traje é informal e ambas as facções devem ser flexíveis a respeito do local e hora do evento. Mas, se nenhuma das partes comparecer, o fiasco será completo. Na Revolução Chinesa de 1650, nenhum dos partidos apresentou-se para a luta, com o que perdeu-se um grande estoque de munição.

As pessoas que se revoltam contra os *opressores* são facilmente reconhecíveis, por serem as únicas que parecem estar se divertindo. Os *opressores* geralmente são obrigados a andar de terno e gravata, possuem terras e tocam suas vitrolas até tarde sem que ninguém possa reclamar. Sua função é a de manter o *status quo,* uma situação pela qual tudo fica exatamente como está, embora costume levar uma mão de tinta de dois em dois anos.

Quando os *opressores* se tornam muito rígidos, passamos a ter o que se conhece como Estado policial – no qual proíbe-se discordar, dar risadinhas, usar gravata-borboleta e referir-se ao Sr. Prefeito como Bolão. As liberdades civis são extremamente limitadas num Estado policial, entre elas a liberdade de expressão, embora a arte da mímica continue permitida. Nenhuma crítica ao governo é tolerada, principalmente a respeito do estilo de dançar da primeira-dama. A liberdade de imprensa também é coibida, sendo o noticiário controlado pela Censura, a qual libera apenas as ideias políticas aceitáveis e certos resultados de futebol, desde que não causem comoção entre os torcedores.

Os grupos que se revoltam são chamados de *oprimidos* e estão sempre se queixando de que trabalham muito ou de que vivem com enxaquecas. (Deve-se observar que os *opressores* nunca se revoltam ou tentam transformar-se em *oprimidos,* já que isto os obrigaria a mudar o estilo de suas cuecas.)

Alguns famosos exemplos de revoluções são:

A Revolução Francesa, na qual os revolucionários tomaram o poder pela força e logo trocaram o cadeado de todos os palácios, para que os nobres não pudessem entrar. Em seguida, fizeram uma baita festa e guilhotinaram-se uns aos outros. Quando os nobres finalmente recapturaram os palácios, tiveram de fazer uma reforma geral, devido ao excesso de manchas nas paredes e tocos de cigarro pelo chão.

A Revolução Russa, que se arrastou durante anos, só explodiu quando os bolcheviques finalmente concluíram que o Tzar e o Czar eram a mesma pessoa.

Deve-se observar que, quando uma revolução termina, muitas vezes os *oprimidos* passam a comportar-se como os *opressores*, sendo dificílimo para os seus novos súditos conseguir falar com eles ao telefone, filar-lhes um cigarro ou tomar-lhes dinheiro emprestado.

Alguns métodos de desobediência civil:

Greve de fome. Quando o *oprimido* fica sem comer até que suas exigências sejam atendidas. Os *opressores* mais insidiosos costumam deixar bolachas ao alcance do *oprimido,* quando não queijos franceses, mas este tenta resistir a todo custo. Se o partido no poder conseguir obrigar o grevista a comer, isto significa que não terá muito trabalho para acabar com a insurreição. Se não apenas conseguir obrigá-lo a comer, como ainda fazê-lo pagar a conta, pode estar certo da vitória. No Paquistão, uma greve de fome foi encerrada quando o governo distribuiu uma série de pratos *cordon bleu,* que as massas acharam pouco político recusar. Mas isso é raro de acontecer.

O problema da greve de fome é que, depois de alguns dias, fica-se com uma bruta fome, e o governo então se aproveita para fazer com que todos os alto-falantes transmitam exclamações como "Hmmm... que delícia esta galinha..." ou "Pode me passar o molho?" ou "Já provou esta mousse?"

Uma variação da greve de fome, para aqueles cujas convicções políticas não são das mais radicais, é a de recusar-se terminantemente a comer jiló. Esse pequeno gesto, quando usado com eficiência, pode influenciar profundamente um governo, sendo bem conhecido o caso de Mahatma Gandhi, cuja insistência em comer salada sem vinagre obrigou o governo britânico a muitas concessões. Além da comida, um grevista pode privar-se de muitas outras coisas, entre as quais jogar biriba, sorrir para o carcereiro ou imitar uma garça.

Greve sentada. Quando uma pessoa escolhe um determinado lugar na fábrica e senta-se sem trabalhar. Mas, quando se diz "senta-se", deve-se entender sentar mesmo, e não ficar de cócoras – uma posição sem menor significado político, a não ser que o governo também esteja de cócoras. (Certos governos vivem agachados diante de outros.) O objetivo é permanecer sentado até que o governo atenda às exigências do grevista. Como na greve de fome, os *opressores* tentarão por todos os meios fazer o grevista levantar-se. Poderão dizer: "OK, rapazes, hora de ir para casa!" ou "Podia levantar-se um pouquinho? Queria ver se você é mais alto do que eu".

Passeatas. A principal finalidade de uma passeata é a de ser vista pela população. Se uma pessoa faz sua passeata em casa, sozinha, isto será não apenas um erro político, como também uma demonstração de burrice.

Uma clássica passeata foi a do Clube de Chá de Boston, na qual os nacionalistas americanos, disfarçados de índios, despejaram o chá britânico no mar. Mais tarde, índios disfarçados de americanos despejaram os próprios ingleses no mar. Em seguida, os ingleses, disfarçados de bules de chá, despejaram a si próprios no mar. Finalmente, um grupo de mercenários alemães, vestidos com os figurinos de *As Troianas,* jogaram-se no mar sem razão aparente.

Durante uma passeata é conveniente levar faixas e cartazes, para deixar bem clara a posição dos manifestantes. Algumas sugestões de dizeres: 1) Abaixo os impostos; 2) Abaixo a inflação; 3) Abaixo a ditadura; 4) e vice-versa.

Outros métodos de desobediência civil:

Concentrar-se em frente ao palácio do governo e gritar a palavra "pudim" até que as exigências sejam atendidas.

Engarrafar o trânsito da cidade conduzindo um rebanho de carneiros pela avenida na hora do *rush.*

Telefonar a membros do *establishment* e cantar alguma canção de protesto ou de ninar.

Fazer-se passar por policial e então faltar ao serviço.

Disfarçar-se de alcachofra e dedurar o nome do presidente da República aos serviços de informação.

QUEM GANHA DO INSPETOR FORD?

O CASO DO GRÃN-FINO ASSASSINADO

O Inspetor Ford entrou no estúdio. No chão jazia o cadáver de Clifford Wheel, que aparentemente havia sido atingido por trás com um taco de golfe. A posição do corpo indicava que a vítima havia sido surpreendida enquanto cantava *Torna Sorrento* para seu peixinho dourado. A bagunça generalizada provava que tinha havido uma luta terrível, interrompida por dois telefonemas, um dos quais tinha sido engano e o outro perguntando se a vítima estava interessada em tomar lições de dança.

Pouco antes de morrer, Wheel conseguiu enfiar o dedo no tinteiro e escrever na parede a seguinte mensagem: "Preços de Outono Caíram Drasticamente. – Mas Vendas Devem Continuar!".

"Comerciante até o fim", disse Ives, seu criado – um sujeito estranho, cujos sapatos de salto alto faziam-no ficar, curiosamente, dois centímetros mais baixo.

A porta do terraço estava aberta e havia pegadas que saíam de lá, levavam até o *hall* e dali para dentro de uma gaveta.

"Onde estava quando aconteceu, Ives?", perguntou o inspetor Ford.

“Na cozinha, lavando os pratos”, respondeu Ives, e tirou da carteira algumas bolhas de sabão, para comprovar seu álibi.

“Ouviu alguma coisa?”

“Ele estava na sala, com alguns amigos. Discutiam a respeito de quem era mais alto. De repente, pensei ter ouvido o Sr. Wheel cantar em falsete, e Mosley, seu sócio, começou a gritar, ‘Meu Deus, estou ficando careca!’ A próxima coisa de que me lembro foi ter ouvido um glissando de harpa e vi a cabeça do Sr. Wheel rolando pelo gramado. Ouvi o Sr. Mosley ameaçá-lo. Disse que, se ele usasse de novo seu mata-borrão, não iria avalizar determinado empréstimo no banco. Acho que ele o matou.”

“A porta do terraço abre para dentro ou para fora?”, perguntou o inspetor Ford a Ives.

“Para dentro. Por quê?”

“Exatamente como suspeitei. Foi você, Ives, e não Mosley, quem matou Clifford Wheel.”

Como o inspetor Ford descobriu?

De acordo com o projeto da casa, Ives não poderia ter-se esgueirado por trás de seu patrão. Teria de esgueirar-se pela frente, quando então o Sr. Wheel pararia de cantar *Torna Sorrento* e o acertaria na cabeça com a arma do crime – uma velha brincadeira entre os dois.

Um Enigma Curioso

Aparentemente, Walker tinha se suicidado. Tomara uma dose excessiva de barbitúricos. E, no entanto, alguma coisa estava errada para o inspetor Ford. Talvez fosse a posição do corpo: dentro do televisor, e olhando para fora. No chão, havia um bilhete dizendo: “Querida

Edna. O terno de lã me provoca coceira, portanto decidi dar cabo da vida. Faça com que nosso filho complete suas dependências na faculdade. Deixo-lhe toda a minha fortuna, com exceção do chapéu de feltro, o qual lego ao Planetário. Não sinta pena de mim, pois estou me sentindo bem e prefiro a morte a pagar aluguel. Adeus. Assinado, Henry. P. S.: Talvez não seja a melhor ocasião para tocar no assunto, mas devo informá-la de que seu irmão é ligeiramente chegado a uma galinha-d'angola".

Edna Walker mordeu o lábio nervosamente. "O que depreende disto, inspetor?"

O inspetor Ford olhou para o frasco de barbitúricos na mesinha de cabeceira. "Há quanto tempo seu marido vinha tendo insônia?"

"Há anos. Era psicológico. Tinha medo de que, se fechasse os olhos, o prefeito o mandaria pintar de azul."

"Entendo. Tinha inimigos?"

"Para dizer a verdade, não. Exceto alguns ciganos, proprietários de uma casa de chá nos arredores da cidade. Insultou-os certa vez, ao tomar refrigerante na frente deles, num dos seus mais sagrados dias santos."

O inspetor Ford percebeu um copo de leite sobre a cômoda, ainda meio cheio e quente. "Sra. Walker, seu filho está na faculdade?"

"Não. Foi expulso na semana passada por imoralidade. Apanharam-no tentando afogar um anão numa tijela de molho tártaro. E eles não toleram esse tipo de coisa."

"Outra coisa que eu não tolero é assassinato. Seu filho está preso."

Como o inspetor Ford suspeitou que o filho de Walker o *matara*?

O Sr. Walker foi encontrado com dinheiro no bolso. Um homem a fim de suicidar-se nunca é apanhado nessas condições, porque já o gastou para realizar seus últimos desejos.

A Joia Roubada

A urna contendo as joias fora arrombada e a Safira de Bellini tinha sumido. As únicas pistas deixadas no museu eram um fio de cabelo louro e diversas impressões digitais, todas cor-de-rosa. O vigia explicou que estava firme no seu posto quando uma figura embuçada de preto acercou-se por trás e acertou-o na cabeça com um rolo de conferências destinadas a um simpósio. Pouco antes de perder os sentidos, pareceu ouvir alguém dizer: "Jerry, telefone para sua mãe". – Mas nem disso tinha certeza. Aparentemente, o ladrão havia entrado pela claraboia e descido pela parede com sapatos de sucção, como uma mosca humana. Os guardas do museu costumavam manter um enorme mata-moscas especialmente para tais ocasiões. Mas, desta vez, tinham sido enganados.

"Por que alguém cobiçaria a Safira de Bellini?", perguntou o curador do Museu. "Não sabem que ela é amaldiçoada?"

"Que maldição é esta?", quis saber o inspetor Ford.

"A safira pertenceu originalmente a um sultão que morreu em circunstâncias misteriosas, quando uma mão saiu do seu prato de sopa e o estrangulou. O proprietário seguinte foi um lorde inglês, o qual foi encontrado, certo dia, florindo maravilhosamente numa jardineira. Nada se soube da joia durante algum tempo. Então, anos depois, ela reapareceu na posse de um milionário texano que se incendiou enquanto escovava os dentes. Compramos a safira no ano passado, mas a maldição parece continuar, porque, assim que a obtivemos, todo o quadro de conselheiros do museu resolveu formar um balé de conga e, ao dançar, despencou de um rochedo."

"Bem", disse o inspetor Ford, "a maldição é uma pena, mas a joia é valiosa. Se ainda a quiserem de volta, deem um pulo à Confeitaria Handleman e prendam Leonard Handleman. Acharão a safira no seu bolso."

Como o inspetor Ford descobriu quem era o ladrão?

Na véspera, Leonard Handleman havia declarado: "Se eu tivesse uma maldita safira no bolso, poderia largar essa confeitaria!"

O Acidente Macabro

"Acabo de matar meu marido", choramingou Cynthia Freem, enquanto seu corpulento marido jazia na neve ao seu lado.

"Como aconteceu?", perguntou o inspetor Ford, indo direto ao assunto.

"Estávamos caçando. Quincy adorava caçar, e eu também. Separamo-nos por alguns instantes. O matagal estava espesso. Acho que o confundi com uma paca. Atirei. Quando o estava esfolando, descobri que havia matado meu marido. Mas aí já era tarde demais!"

"Hmmm", murmurou o inspetor Ford, enquanto examinava as pegadas na neve. "Você deve atirar bem. Conseguiu acertá-lo bem entre os olhos."

"Oh, não. Foi pura sorte. Sou péssima atiradora."

"Sei." O inspetor Ford revistou os bolsos do morto. Encontrou um pedaço de barbante, uma maçã de 1904 e instruções sobre o que fazer no caso de acordar ao lado de um armênio.

"Sra. Freem, foi este o primeiro acidente de seu marido numa caçada?"

"Fatal, sim. Certa vez, no Canadá, uma águia roubou sua certidão de nascimento."

"Seu marido usava peruca?"

"Nem sempre. Às vezes, carregava no bolso e só a tirava no caso de uma discussão mais séria. Por quê?"

"Ele parecia um pouco excêntrico."

"E era mesmo!"

"Então, foi por isto que o matou?"

Como o inspetor Ford descobriu que não tinha sido acidente?

Um caçador experimentado como Quincy Freem jamais teria ido caçar de ceroulas. Na realidade, sua esposa matara-o em casa, enquanto ele fazia malabarismo com colheres. Depois tentou fazer com que a coisa parecesse acidente, levando-o para a floresta e deixando ao seu lado um exemplar de *Seleções*. Na pressa, esqueceu-se de vesti-lo. Por que ele fazia malabarismo com colheres e de ceroulas continua a ser um mistério.

Um Sequestro Bizarro

Morto de fome, Kermit Kroll adentrou a sala da casa de seus pais, que o esperavam ansiosamente, ao lado do inspetor Ford.

"Obrigado por terem pago o resgate, velhos", disse Kermit. "Nunca pensei que sairia de lá com vida."

"Conte-nos tudo", disse o inspetor.

"Estava indo à cidade a fim de comprar bombons, quando parou um carro ao meu lado e dele saíram dois homens perguntando se eu desejava conhecer um cavalo que recitava poesia. Disse que sim e entrei. Aí, aplicaram-me clorofórmio e acordei amarrado numa cadeira e vendado."

O inspetor Ford examinou o pedido de resgate: "Queridos papai e mamãe. Deixem cinquenta mil dólares numa bolsa, debaixo da ponte na Decatur Street. Se não houver ponte ali, construam uma. Estou sendo bem tratado, e tenho casa e comida de graça, embora as lagostas estivessem um pouco indigestas ontem à noite. Andem logo com o dinheiro, porque, se não tiverem notícias de vocês em poucos dias, o homem que neste momento está fazendo a minha cama irá me estrangular. Beijos, Kermit.

"P.S.: Isto não é piada. Segue anexa uma piada, para que vocês distingam entre uma e outra."

"Tem alguma ideia de onde ficou preso?", perguntou o inspetor Ford.

"Não. Apenas ouvi um barulho estranho pela janela."

"Estranho?"

"Sim. Sabe o som de uma enguia tocando bongô? Parecido."

"Hmmm", refletiu o inspetor Ford. "E como conseguiu escapar?"

"Disse-lhes que queria ir ao jogo de futebol, mas que tinha apenas uma arquibancada. Eles me deixaram ir, desde que eu conservasse os olhos vendados e voltasse antes da meia-noite. Aceitei. Mas, no meio do segundo tempo, como meu time estivesse perdendo, fugi e vim para casa."

“Muito interessante”, disse o inspetor Ford. “Agora já sei que esse sequestro foi uma farsa. Você armou a tramoia e planejou dividir o resgate com os sequestradores.”

Como foi que o inspetor Ford descobriu?

Embora Kermit Kroll ainda vivesse com seus pais, estes tinham mais de oitenta anos e ele, perto de sessenta. Autênticos sequestradores jamais sequestrariam uma criança tão velha. Não faria sentido.

O Gênio Irlandês

Viscoso & Filhos anunciaram a publicação dos *Poemas Anotados de Sean O'Shawn,* o grande poeta irlandês, por muitos considerado o mais incompreensível e, portanto, o melhor poeta de seu tempo. Numa obra tão abundante de referências altamente pessoais, a compreensão de O'Shawn exige um íntimo conhecimento de sua vida – a qual, segundo alguns estudiosos, nem o próprio O'Shawn possuía.

A seguir, apresentamos alguns excertos do seu livro.

Além do Icor

Vamos velejar. Velejar com
O queixo de Fogarth para Alexandria,
Enquanto os irmãos Beamish
Correm rindo para a torre,
Orgulhosos de suas gengivas.
Mil anos se passaram desde que
Agamenon disse: "Não abram
Os portões, para que serve
Um cavalo deste tamanho?".
Qual é a ligação? Apenas que
Shaunnesy recusou-se a pedir

Um aperitivo com a comida,
Embora a ele tivesse direito.
E o bravo Bixby, apesar de sua
Semelhança com um pica-pau,
Não conseguiu reaver suas cuecas
De Sócrates sem o talão.
Parnell sabia a resposta, mas
Ninguém se atrevia a perguntar-lhe.
Ninguém exceto Lafferty, cuja
Anedota do lápis-lazúli obrigou
Uma geração inteira a aprender
Como se dança o samba.
É verdade que Homero era cego
E só por isso andava com
Determinadas mulheres.
Mas Egno e os druidas foram
Testemunhas da luta do homem
Para conseguir profundas transformações.
Blake também aspirava a isto, além de
O'Higgins, que teve o seu terno roubado
Embora com ele estivesse vestido.
A civilização tem a forma de um círculo
E repete-se indefinidamente,
Enquanto a cabeça de O'Leary
Lembra mais um trapezoide.
Alegria, alegria! E, de vez em quando,
Telefonem para sua mãe a cobrar.

Vamos velejar. O'Shawn gostava de velejar, embora nunca o tivesse feito no mar. Em criança, sonhava tornar-se comandante de um navio, mas desistiu da ideia quando lhe contaram a respeito dos tubarões. James, seu irmão mais velho, conseguiu entrar para a Marinha Britânica, mas foi logo expulso por vender repolho a um contramestre.

Queixo de Fogarth. Sem dúvida, uma referência a George Fogarth, que convenceu O'Shawn a tornar-se poeta e assegurou-lhe que, mesmo assim, ele continuaria a ser convidado para festas. Fogarty publicava uma revista de poesia e, embora a circulação se limitasse à sua mãe, seu prestígio era internacional.

Fogarty era um irlandês bonachão e sanguíneo, cuja ideia de uma grande farra consistia em deitar-se numa praça pública e imitar um alicate. Pouco depois de seu contato com O'Shawn, sofreu um colapso nervoso e foi preso por comer as próprias calças numa Sexta-Feira Santa.

O queixo de Fogarty era objeto de grande ridículo, por ser, de tão pequeno, quase inexistente. Um dia, disse O'Shawn: "Daria tudo por um queixo maior. Se não encontrar um rapidamente, vou fazer uma besteira!". Por falar nisso, Fogarty era amigo de Bernard Shawn, o qual permitiu certa vez que ele lhe tocasse a barba branca, desde que, em seguida, sumisse da sua frente.

Alexandria. Referências ao Oriente Médio aparecem frequentemente na obra de O'Shawn, e seu famoso poema que começa com "Para Belém, numa bolha de sabão..." trata exaustivamente do problema hoteleiro pelo ponto de vista de uma múmia.

Os irmãos Beamish. Dois idiotas que tentaram ir de Belfast à Escócia, enviando-se mutuamente pelo correio.

Liam Beamish frequentou um colégio jesuíta com O'Shawn, mas foi expulso por fantasiar-se de castor. Quincy Beamish era mais introvertido e usou uma copa de abajur na cabeça até a idade de 41 anos.

Os Beamish costumavam implicar com O'Shawn, devorando sua comida antes que ele ao menos a provasse. Mesmo assim, O'Shawn gostava deles e recorda-os com carinho em seu melhor soneto (*Meu amor é um iaque*), no qual são retratados simbolicamente como pernas de mesa.

A torre. Quando O'Shawn saiu da casa dos pais, foi viver numa torre em Dublin. Era uma torre baixinha, com pouco mais de um metro e meio – ou seja, alguns centímetros a mais do que ele. Dividiu esta residência com Harry O'Connell, um amigo com pretensões literárias e cuja peça, *O Boi Almiscarado,* só não chegou a estrear porque o elenco foi posto a dormir com clorofórmio.

O'Connell foi uma grande influência no estilo de O'Shawn, e chegou a convencê-lo de que nem todo poema precisava começar com o verso "As rosas são vermelhas, e as violetas, azuis".

Orgulhosos de suas gengivas. Os irmãos Beamish tinham gengivas incríveis. Liam Beamish era capaz de tirar sua dentadura postiça e mastigar amendoim com as gengivas, o que fez durante dezesseis anos, até lhe contarem que não existia tal profissão.

Agamenon. O'Shawn era obcecado pela Guerra de Troia. Não conseguia admitir que um exército fosse estúpido a ponto de aceitar um presente dado pelo inimigo em tempo de guerra. Principalmente quando soube que os troianos se aproximaram do cavalo de madeira e ouviram risadinhas abafadas. Esse episódio parece ter traumatizado o jovem O'Shawn e, pelo resto da vida, obrigou-o a examinar cuidadosamente todo presente que recebia, a ponto de, certa vez, ter perscrutado o interior de um par de sapatos com uma lanterna e gritado: "Ei, vocês! Saiam daí!".

Shaunnesy. Michael Shaunnesy foi um místico e ocultista que convenceu O'Shawn de que haveria uma vida além-túmulo para aqueles que tivessem economizado barbante antes de morrer.

Shaunnesy acreditava também que a lua influenciava as ações humanas, e que quem cortasse o cabelo durante um eclipse ficaria estéril. O'Shawn foi um seguidor fiei de Shaunnesy e devotou grande parte de sua vida ao estudo do ocultismo, embora nunca tivesse conseguido realizar o seu objetivo de entrar numa sala pelo buraco da fechadura.

A lua aparece frequentemente nos últimos poemas de O'Shawn, e ele disse a James Joyce que um de seus grandes prazeres era mergulhar o braço numa tijela de sopa em noites de luar.

A referência ao fato de Shaunnesy recusar o aperitivo refere-se provavelmente à época em que os dois jantaram juntos em Inesfree, quando Shaunnesy soprou ervilhas através de um canudinho numa senhora gorda, apenas porque ela discordou de suas ideias sobre embalsamamento.

Bixby. Eamon Bixby. Um fanático que pregava o ventriloquismo como solução para todos os problemas do mundo. Era um grande estudioso de Sócrates, mas discordava do filósofo grego na questão da "boa vida", a qual Bixby considerava impossível, a menos que toda a humanidade tivesse o mesmo peso.

Parnell sabia a resposta. A resposta a que O'Shawn se refere é "Estanho", e a pergunta é: "Qual é o principal produto de exportação da Bolívia?". É compreensível que ninguém perguntasse isto a Parnell, embora fosse desafiado certa vez a dizer o nome do maior quadrúpede de penas sobre a Terra e tivesse respondido "A galinha", sendo por isto muito criticado.

Lafferty. Pedicure de John Millington Synge. Indivíduo fascinante que teve um furioso caso de amor com Molly Bloom, até descobrir que ela não passava de um personagem de ficção.

Lafferty era chegado a certas brincadeiras e, um dia, usando farinha de rosca e um ovo, panou o céu da boca de Synge. Como consequência, Synge passou a caminhar de maneira estranha, meio manquitola, o que levou seus seguidores a imitá-lo, achando que, se copiassem aquela maneira de andar, também escreveriam boas peças. Daí os versos: "Obrigou / Uma geração inteira a aprender / Como se dança o samba".

Homero era cego. Homero foi um símbolo para T. S. Eliot, a quem O'Shawn considerava um poeta de "imenso escopo, mas com pouco fôlego".

Os dois se conheceram em Londres, durante os ensaios de *Morte na Catedral* (então, ainda intitulada *As Pernas de Um Milhão de Dólares)*. Foi O'Shawn quem convenceu Eliot a raspar suas costeletas e a abandonar a ideia de formar-se dançarino de flamenco. Em seguida, os dois redigiram um manifesto estabelecendo os objetivos da nova poesia, um dos quais o de escreverem menos poemas sobre coelhos.

Egno e os druidas. O'Shawn era vidrado na mitologia celta e, num de seus poemas mais célebres, contou como os deuses da velha Irlanda transformaram um casal de jovens amantes numa coleção completa da *Encyclopaedia Britannica*.

Profundas transformações. Provavelmente refere-se ao desejo de O'Shawn de "reformar a raça humana", que ele considerava basicamente depravada, especialmente os jóqueis. (O'Shawn era tão pessimista que, para ele, a humanidade não produziria nada de bom se não reduzisse a temperatura do corpo, já que 36.7º eram, segundo dizia, "insuportáveis".)

Blake. O'Shawn era um místico e, como Blake, acreditava nas forças ocultas. Isto lhe foi confirmado quando seu irmão Ben foi eletrocutado ao lamber um selo. O choque não matou Ben, o que O'Shawn atribuiu à Providência Divina, embora tivesse custado dezessete anos a seu irmão para enfiar a língua de volta na boca.

O'Higgins. Patrick O'Higgins apresentou O'Shawn a Polly Flaherty, que se tornaria sua mulher depois de dez anos de namoro, tempo em que os dois limitaram-se a se encontrar secretamente e a arfar um para o outro. Polly nunca percebeu o alcance do gênio de seu marido e disse aos mais íntimos que, em sua opinião, O'Shawn seria menos lembrado por sua poesia do que pelo hábito de emitir curiosos guinchos quando comia maçãs.

A cabeça de O'Leary. Refere-se ao Monte O'Leary, onde O'Shawn pediu Polly em casamento pouco antes que ela despencasse lá de cima. O'Shawn foi visitá-la no hospital e conquistou definitivamente seu coração, ao oferecer-lhe o seu poema *A Decomposição da Carne*.

Telefone para sua mãe a cobrar. Enquanto agonizava, a mãe de O'Shawn, Bridget, implorou a seu filho que abandonasse a poesia e se tornasse vendedor de aspiradores. O'Shawn não podia concordar com aquilo e sofreu angústia e culpa pelo resto da vida, embora tivesse conseguido vender um aspirador para W. H. Auden e outro para Wallace Stevens, durante um congresso internacional de poesia em Genebra.

Deus

Peça em um ato

CENA: Atenas. Aproximadamente 500 a.C. Dois gregos agitados, no centro de um enorme anfiteatro vazio. Um é o Ator; o outro é o Escritor. Estão distraídos, pensando. Devem ser interpretados por dois bons cômicos de revista.

Ator: ... nada... absolutamente nada...

Escritor: O quê?

Ator: Sem sentido. Vazia.

Escritor: É o fim.

Ator: Claro. O que estamos discutindo? Estamos discutindo o fim.

Escritor: Estamos sempre discutindo o fim.

Ator: Porque não dá pé.

Escritor: Admito que esteja insatisfatório.

Ator: Insatisfatório? Está horrível! O segredo é começar a peça pelo fim. Imagine um final bem forte e depois escreva de trás para frente.

Escritor: Já tentei isso. Tenho uma peça sem começo.

Ator: Isso é absurdo.

Escritor: Absurdo? O que é absurdo?

Ator: Toda peça deve ter começo, meio e fim!

Escritor: Por quê?

Ator: *(Confidencialmente.)* Porque, na natureza, tudo tem começo, meio e fim.

Escritor: E um círculo?

Ator: *(Pensa.)*

Está certo... Um círculo não tem começo, meio e fim, mas nem por isso é muito engraçado.

Escritor: Diabetes, pense num fim. Estreamos daqui a três dias.

Ator: Eu não. Não vou trabalhar nesse abacaxi. Tenho um nome a zelar. Meus fãs não gostariam de me ver numa peça que não estivesse à minha altura.

Escritor: Devo lembrá-lo de que você é um ator decadente e desempregado, a quem eu generosamente consenti que trabalhasse em minha peça para tentar firmar-se de novo?

Ator: Decadente, talvez... Desempregado, sim... Tentando me firmar de novo, é verdade... Mas, bêbado?!

Escritor: Eu não disse que você era um bêbado.

Ator: Pois é, só que eu sou bêbado também!

Escritor: *(Num súbito ataque de inspiração.)*

E se um personagem tirasse uma adaga do cinto e, devido a mil frustrações, esfaqueasse os próprios olhos e se cegasse?

Ator: É, grande ideia! Está se sentindo bem?

Escritor: Não gostou da ideia?

Ator: Deprimente. A plateia vai olhar para aquilo e...

Escritor: Eu sei – e fazer aquele estranho ruído com os lábios.

Ator: Chama-se vaiar.

Escritor: E desta vez eu queria vencer o festival! Pelo menos uma vez na vida, gostaria que minha peça tirasse o 1º prêmio! E não é pelo dinheiro, mas pela glória.

Ator: *(Subitamente inspirado.)* E se o rei, de repente, mudasse de ideia? Isso pode dar samba!

Escritor: Ele jamais faria isso.

Ator: *(Tentando vender-lhe o peixe.)* A rainha poderia convencê-lo!

Escritor: Nem pensar. É uma filha da puta.

Ator: Mas, se o exército troiano se rendesse...

Escritor: Lutarão até a morte.

Ator: Não se Agamenon roer a corda!

Escritor: Não faz o gênero dele.

Ator: Mas eu poderia tomar a arma dele e botar pra quebrar!

Escritor: Vai contra o seu personagem. Você é um covarde, um escravo insignificante, com a inteligência de uma minhoca. Por que acha que o escolhi para o papel?

Ator: Já dei seis sugestões para o final!

Escritor: Cada uma mais idiota que a outra.

Ator: A peça é que é idiota!

Escritor: Os seres humanos não se comportam desse jeito. A natureza deles é outra.

Ator: O que tem a natureza a ver com isto? O fato é que não temos um final.

Escritor: Se o homem é um animal racional, eu, como dramaturgo, não posso obrigar um personagem a fazer no palco o que ele não faria na vida real.

Ator: Você se esquece de que nós não existimos na vida real?

Escritor: O que quer dizer?

Ator: Ainda não desconfiou que somos personagens de uma peça que deve estar sendo encenada na Broadway neste momento? Não fique brabo comigo, não fui eu que a escrevi.

Escritor: Somos personagens de uma peça, mas brevemente estaremos vendo minha peça... a qual será uma peça dentro da peça. E eles estarão nos vendo!

Ator: É. Altamente metafísico, não é?

Escritor: Não apenas metafísico, como também absolutamente ridículo!

Ator: Você preferia ser um deles?

Escritor: *(Olhando para a plateia.)* De jeito nenhum. Olhe para eles!

Ator: Então vamos continuar!

Escritor: *(Resmungando.)* Eles pagaram para entrar.

Ator: Hepatitis, estou falando com você!

Escritor: Eu sei, o problema é o final.

Ator: É sempre o final.

Escritor: *(De repente, para a plateia.)*

Ei, vocês aí, alguma sugestão?

Ator: Pare de conversar com a plateia! Oh, por que fui falar neles?

Escritor: É interessante, não é? Somos dois velhos gregos em Atenas, e vamos ver uma peça que escrevi e na qual você trabalha, e essa gente toda aí saiu de um subúrbio qualquer para nos ver representando na peça de alguém. E se eles também forem personagens de uma outra peça, uma peça maior, e também estiverem sendo vistos por alguém? E se nada disso existir e formos apenas o sonho de alguém? Ou – pior ainda – e se só aquele gordo da terceira fila existir?

Ator: É o que eu estou querendo dizer. E se o universo não for racional e as pessoas não tiverem livre-arbítrio? Poderíamos mudar o final sem seguir qualquer regra fixa. Está me entendendo?

Escritor: Claro que não. *(Para a plateia.)* Vocês entenderam? Ele é um ator. Só janta no Sardi's.

Ator: Os personagens de uma peça não teriam características determinadas e poderiam ser como quisessem. Eu não precisaria ser escravo só porque você me escreveu desse jeito. Poderia ser o herói.

Escritor: Bom, então não há peça.

Ator: Não há peça? Ótimo, vou para o Sardi's!

Escritor: Diabetes, o que você está sugerindo é o caos!

Ator: A liberdade é o caos?

Escritor: A liberdade é o caos? Hmm... Esta é difícil. *(Para a plateia.)* A liberdade é o caos? Alguém aí se formou em filosofia?

(Moça na plateia responde.)

Moça: Eu me formei!

Escritor: Quem é você?

Moça: Bem, na realidade me formei em educação física, mas tirei boas notas em filosofia...

Escritor: Pode vir até aqui?

Ator: Que diabo está fazendo?

Moça: Se importa que tenha sido numa faculdade do Brooklyn?

Escritor: Brooklyn? Não, estarmos topando qualquer coisa. *(Ela sobe ao palco.)*

Ator: Era só o que faltava!

Escritor: O que há com você?

Ator: Estamos no meio de uma peça! Quem é ela?

Escritor: Daqui a cinco minutos começa o Festival de Teatro de Atenas, e ainda não tenho um final para a minha peça!

Ator: E daí?

Escritor: Algumas sérias questões filosóficas foram levantadas. Por exemplo: Nós existimos? Eles existem? *(Referindo-se à plateia.)* Qual será a verdadeira natureza do caráter humano?

Moça: Oi! Me chamo Doris Levine.

Escritor: Eu sou Hepatitis e este é Diabetes. Somos gregos antigos.

Doris: Sou de Great Neck.

Ator: Mande-a cair fora deste palco!

Escritor: *(Olhando-a de alto a baixo, com olhos comilões.)* Gostosa paca!

Ator: E daí?

Doris: O problema filosófico básico é: Se uma árvore tomba na floresta e não há ninguém por perto para ouvi-la cair – como sabemos que fez barulho?

(Todos se olham confundidos.)

Ator: E o que isto tem a ver com as calças, minha filha? Estamos na Broadway!

Escritor: Quer ir para a cama comigo?

Ator: Deixe a moça em paz.

Doris: *(Para ator.)* Por que não se mete na sua vida?

Escritor: *(Falando para os bastidores.)* Podiam baixar o pano? Só por cinco minutos!

(Para a plateia.) Esperem aí, tá? Vou dar uma rapidinha.

Ator: É uma vergonha! Um absurdo! *(Para Doris.)* Você não tem namorado?

Doris: Claro. *(Para alguém na plateia.)* Diane, quer dar um pulinho aqui? Descolei uns gregos. *(Ninguém responde.)* Ela é tímida...

Ator: O negócio é o seguinte: temos uma peça para representar. Vou ter de denunciar isto ao autor.

Escritor: *Eu* sou o autor!

Ator: Estou me referindo ao autor original.

Escritor: *(Baixinho para* o ator.*)* Diabetes, acho que vou faturar a garota!

Ator: Como faturar? Você quer dizer manter relações sexuais? Com toda essa gente olhando?

Escritor: Mandei abaixar o pano. Além disso, eles também fazem essas coisas. Não todos, mas alguns.

Ator: Seu idiota, você é um personagem fictício e ela é judia! Já imaginou os filhos que podem sair?

Escritor: Vamos nessa, talvez a gente arraste a amiga dela para cá. *(Ator vai à esquerda do palco usar o telefone.)* Diane? Esta é uma chance para você transar com *(usa o nome de um ator verdadeiro). Ele* é um astro... já fez mil comerciais de TV...

Ator: *(Ao telefone.)* Me dê uma, linha para fora, por favor.

Doris: Não quero criar nenhum problema.

Escritor: Problema nenhum. É que nós tínhamos perdido o contato com a realidade.

Doris: Quem sabe o que é realmente a realidade?

Escritor: É isso aí, Doris!

Doris: *(Filosoficamente.)* Quantas vezes as pessoas se iludem com o que pensam ser a realidade, e esta não passa de uma "falsidade"!

Escritor: Pois eu acho que estou ligadão em você de uma maneira real, Doris!

Doris: O sexo será real?

Escritor: Mesmo que não seja, é uma das melhores "falsidades" que duas pessoas podem fazer.

(Ele a agarra, mas ela se desvencilha.)

Doris: Não! Aqui não!

Escritor: Por que não?

Doris: Não sei. Sei lá!

Escritor: Já transou com um personagem fictício?

Doris: Não. O mais parecido com isso foi um italiano.

Ator: *(Fala ao telefone. Ouve-se a voz do outro lado da linha através de um filtro.)* Alô?

Telefone: *(Voz da empregada.)* Residência do Sr. Woody Allen.

Ator: Posso falar com ele?

Voz da empregada: Quem está falando, por favor?

Ator: Um dos personagens de sua peça.

Empregada: Um momento. Sr. Allen, há um personagem fictício ao telefone.

Ator: *(Para os outros.)* Agora é que eu quero ver, bichos!

Voz de Woody: Alô.

Ator: Sr. Allen?

Woody: Sim?

Ator: Aqui fala Diabetes.

Woody: Quem?

Ator: Diabetes. Um personagem seu.

Woody: Ah, sim. Agora me lembro, você é um personagem ainda mal realizado... muito unidimensional...

Ator: Obrigado.

Woody: Ei, a peça não devia estar em cena neste momento?

Ator: É por isto que estou telefonando. Há uma moça no palco, criando problemas, e Hepatitis está parado na dela.

Woody: Que tal ela?

Ator: Bonita, mas não tem nada a ver.

Woody: Loura?

Ator: Morena... cabelo comprido...

Woody: Boas pernas?

Ator: São.

Woody: Belas tetas?

Ator: Ótimas.

Woody: Não deixe ela ir embora. Já estou indo pra aí.

Ator: É estudante de filosofia. Mas não sabe nada... Produto típico do botequim da faculdade...

Woody: Engraçado. Usei esta frase numa outra peça, *Sonhos de um Sedutor,* para descrever uma garota...

Ator: Deve ter feito muito mais sucesso na primeira vez.

Woody: Ponha ela na linha.

Ator: Ao telefone?

Woody: Claro!

Ator: *(Para Doris.)* É para você.

Doris: *(Sussurra.)* Já o vi no cinema. Não quero falar com ele...

Ator: Ele é o autor da peça!

Doris: É pretensioso!

Ator: (*Ao telefone.*) Ela não quer falar com você. Disse que sua peça é pretensiosa.

Woody: Ai, que saco! Está bem, me ligue depois e me conte como a peça terminou.

Ator: Está bem. (*Desliga e depois para, como que tentando memorizar o que o autor disse.*)

Doris: Posso trabalhar na sua peça?

Ator: Não estou entendendo. Você é uma atriz ou uma moça interpretando uma atriz?

Doris: Sempre quis ser atriz. Mamãe queria que eu fosse enfermeira. Papai achava que eu devia dar o golpe do baú.

Ator: E você foi fazer o quê?

Doris: Trabalho numa firma que fabrica pratos para restaurantes chineses. Sabe, esses autênticos de imitação.

(Um grego entra dos bastidores.)

Triquiníases: Diabetes, Hepatitis! Sou eu, Triquiníases. *(Improvisam cumprimentos.)*. Acabo de ter uma discussão com Sócrates na Acrópole e ele provou que eu não existo. Quase morri. Ouvi dizer que você precisa de um final para a sua peça. Acho que tenho o que você precisa.

Escritor: É mesmo?

Triquiníases: Quem é ela?

Escritor: Doris Levine.

Triquiníases: Aquela de Great Neck?

Doris: Ela mesma.

Triquiníases: Você conhece a família Rappaport?

Doris: Myron Rappaport?

Triquiníases: *(Concordando.)* Trabalhamos juntos na campanha do Partido Liberal.

Doris: Que coincidência!

Triquiníases: Você teve um caso com o Prefeito Lindsay.

Doris: Bem que eu quis – mas ele não topou.

Escritor: E o final da peça?

Triquiníases: Você é muito mais bonita do que eu imaginava!

Doris: Você acha?

Triquiníases: Gostaria de ir para a cama com você agora mesmo!

Doris: Puxa, estou de sorte esta noite! *(Triquiníases toma sua mão apaixonadamente.)* Por favor, sou virgem. Não é assim que eu devo dizer?

(Com um livro aberto na mão, o Ponto sai rapidamente dos bastidores; usa suéter.)

Ponto: "Por favor, sou virgem." Isso mesmo.

(Sai.)

Escritor: E o final que você ia me arranjar?

Triquiníases: Hem? Ah, sim. *(Chamando.)* Podem entrar, rapazes!

(Alguns gregos empurram uma geringonça esquisita, semelhante a um guindaste.)

Escritor: Que diabo é isto?

Triquiníases: O final para a sua peça.

Ator: Não estou entendendo.

Triquiníases: Esta coisa, que levei seis meses criando na oficina do meu irmão, o fará entender.

Escritor: Como?

Triquiníases: Na cena final – quando tudo fica escuro e Diabetes, o humilde escravo, está quase perdido...

Ator: Sim?

Triquiníases: Zeus, o Pai dos Deuses, desce dramaticamente das alturas e, brandindo seus raios, traz a salvação para o grupo de mortais impotentes.

Doris: Deus *ex machina.*

Triquiníases: Ei! Grande nome para esta coisa!

Doris: Meu pai trabalha na Westinghouse.

Escritor: Ainda não entendi.

Triquiníases: Espere até ver a coisa funcionar. Ela fará Zeus voar. Vou ganhar uma nota com esta invenção. Sófocles já deu a entrada em uma. Eurípides quer duas.

Escritor: Mas vai mudar todo a significado da peça!

Triquiníases: Cale a boca até ver uma demonstração. Bursitis, ponha os arreios!

Bursitis: Logo eu?

Triquiníases: Faça o que eu disse. Você nem vai acreditar!

Bursitis: Estou com medo!

Triquiníases: Ele está brincando... Ande, seu idiota, estamos quase vendendo um!

Bursitis: Não gosto de alturas!

Triquiníases: Ponha o negócio! Depressa! Enfie-se logo nessa roupa de Zeus! Faça uma demonstração. *(Sai enquanto Bursitis protesta.)*

Bursitis: Quero falar com meu agente!

Escritor: Mas ele disse que Deus aparece no fim e salva todo mundo!

Ator: Adorei! A plateia vai vibrar!

Doris: Também acho. Vai parecer um daqueles filmes bíblicos!

Escritor: *(Meio teatralmente.)* Mas, se Deus salva todo mundo, o homem deixa de ser responsável por seus atos!

Ator: E você ainda não desconfiou por que não o convidam para as festas...

Doris: Mas, sem Deus, o universo não tem sentido! A vida não tem sentido! Nenhum de nós tem sentido! *(Pausa significativa.)* Me deu uma bruta vontade de que alguém me coma.

Escritor: Agora não estou com vontade.

Doris: Ah, é? Ei, alguém aí na plateia quer me comer?

Ator: Pare com isto! *(Para a plateia.)* Ela está brincando, pessoal. Ha, ha, ha!

Escritor: Estou deprimido.

Ator: O que há com você?

Escritor: Não sei se acredito em Deus!

Doris: *(Para a plateia.)* Estou falando sério!

Ator: Se Deus não existe, quem criou o universo?

Escritor: Não tenho certeza.

Ator: Como não tem certeza? E quando pensa que vai ter?

Doris: Alguém aí quer me comer?

Homem: *(Levanta-se na plateia.)* Eu posso comer a moça, se ninguém mais sc habilitar.

Doris: O senhor jura?

Homem: O que há com as pessoas? Uma moça bonita como esta! Não há homens nesta plateia? São um bando de intelectuais, comunistas e brochas!

(Lorenzo Miller sai dos bastidores. Está vestido com roupas de hoje.)

Lorenzo: Sente-se! Sente-se, ouviu?

Homem: Está bem, está bem!

Escritor: Quem é você?

Lorenzo: Lorenzo Miller. Eu criei esta plateia. Sou crítico de teatro.

Escritor: Como assim?

Lorenzo: Eu escrevi: "Centenas de pessoas assistiram ontem à estreia de uma peça assim-assado no teatro tal". Olha elas aí!

Doris: *(Apontando para a plateia.)* Quer dizer que eles também não existem? Não têm livre-arbítrio?

Lorenzo: Pensam que têm, mas sempre fazem aquilo que se espera deles.

Mulher: *(De repente, uma mulher levanta-se furiosa na plateia.)* Eu existo!

Lorenzo: Desculpe, madame, mas está enganada.

Mulher: Mas tenho até um filho estudando em Harvard!

Lorenzo: Eu criei o seu filho, logo ele também é um personagem fictício. E não apenas fictício, como também bicha.

Homem: Vou lhe mostrar se existo ou não. Vou sair agora deste teatro e exigir meu dinheiro de volta. Nunca vi peça mais cretina. Quando venho a um teatro, é para ver uma história que me divirta – com começo, meio e fim – e não esta merda. Boa noite!

(Sai pisando firme.)

Lorenzo: Não é um personagem sensacional? Criei-o para ser furioso. Mais tarde ele se sentirá culpado e meterá uma bala na cabeça. (*Ouve-se o som de um tiro.)* Eu disse mais tarde!

Homem: *(Volta com uma pistola fumegante.)* Desculpe, suicidei-me antes da hora!

Lorenzo: Suma daqui!

Homem: Estarei no Sardi's.

Lorenzo: (*Desce até à plateia e dirige-se a vários espectadores de verdade.*) Como se chama, cavalheiro? Ah-ham. (*Improvisa de acordo com o que a plateia diz.*) O senhor é de onde? Ele não é uma graça? Grande personagem, a senhora. Preciso me lembrar para fazê-los variar um pouco a roupa. Mais tarde, esta senhora aqui abandonará o marido para viver com aquele cara ali. Eu sei que é difícil de acreditar, mas.... Ha! Olhem para este aqui! No terceiro ato ele come a empregada.

Escritor: É terrível ser um personagem de ficção. A gente fica tão limitado.

Lorenzo: Mas só pelos limites do dramaturgo. Infelizmente, vocês foram criados por Woody Allen. Ainda se fosse Shakespeare...

Escritor: Não vou tolerar isto! Sou um homem livre e não preciso que Deus apareça voando para salvar minha peça. Sou um escritor!

Doris: Quer ganhar o Festival de Teatro de Atenas, não quer?

Escritor: (*Subitamente teatral.*) Sim. Quero ser imortal. Não quero morrer e ser esquecido. Quero que minha obra sobreviva muito depois que eu deixar este mundo. Quero que as futuras gerações saibam da minha existência! Por favor, não deixem que eu seja apenas um pingo no universo por toda a eternidade! Senhoras e senhores, ao receber este prêmio, quero agradecer a papai e mamãe pelo estímulo que sempre...

Doris: Estou cagando para o que ele diz. Eu, pelo menos, existo.

Lorenzo: Nem tanto.

Doris: Quer dizer, penso que existo. Ou, melhor ainda, *eu sinto*. Tenho até orgasmo!

Lorenzo: Tem?

Doris: O tempo todo.

Lorenzo: No duro?

Doris: Frequentemente.

Lorenzo: Não brinque!

Doris: A maior parte das vezes, pelo menos.

Lorenzo: É?

Doris: É! Com alguns homens...

Lorenzo: Acho difícil de acreditar.

Doris: Pelo menos metade das vezes.

Lorenzo: Essa não!

Doris: Não necessariamente pelos canais competentes. Às vezes, é oral...

Lorenzo: Sei, sei...

Doris: Claro que eu finjo também, de vez em quando. Não se deve magoar as pessoas!

Lorenzo: Já teve *algum* orgasmo de verdade?

Doris: Não. Nunca tive.

Lorenzo: Porque nenhum de nós aqui existe de verdade.

Escritor: Mas, se não existimos, também não morremos.

Lorenzo: De fato, não. A menos que o teatrólogo queira nos matar.

Escritor: E por que ele faria isto?

(Dos bastidores, sai Blanche Dubois)

Blanche: Muito simples, querido. Porque satisfaz – como se chama mesmo? – a sensibilidade estética dele.

Escritor: *(Todos se voltam para olhá-la.)*

Quem é você?

Blanche: Blanche. Blanche DuBois. Significa "a branca dos bosques". Não se levantem, por favor. Eu estava apenas passando...

Doris: O que está fazendo aqui?

Blanche: Estou me escondendo. Sim – neste velho teatro... Ouvi sem querer o que vocês estavam falando. Podiam me dar uma Coca-Cola incrementada com qualquer coisa?

Ator: *(Reaparece. Não tínhamos notado que ele saíra.)* Coca não tem. Serve guaraná?

Escritor: Aonde você foi?

Ator: Fui ao banheiro.

Escritor: No meio da peça?

Ator: Que peça, rapaz? *(Para Blanche.)* Explique pra ele como somos limitados.

Blanche: Ele tem razão, queridos. Desgraçadamente. Foi por isto que dei o fora da minha peça. Fugi! Oh, não que Tennessee Williams não seja um grande escritor e que *Um Bonde Chamado Desejo* não seja genial. Mas ele me jogou no meio de um pesadelo. A última coisa que me lembro é de estar sendo levada por dois sujeitos, um deles com uma camisa de força. Quando me vi fora da casa de Kowalski, saí correndo e escapei. Agora preciso arranjar uma peça qualquer, de preferência uma em que Deus exista... Algum lugar onde eu possa descansar, finalmente... É por isso que vocês têm de me convidar para esta peça e deixar Zeus, o belo e jovem Zeus, triunfar com seu raio!

Escritor: Você também foi ao banheiro?

Triquiníases: *(Entra.)* Pronto para a grande demonstração!

Blanche: Uma demonstração! Que beleza!

Triquiníases: *(Para os bastidores.)* Estão prontos, aí? Okay. É o final da peça. O escravo está completamente fu. Sente-se perdido e desesperado. Aí reza. Vai, cara!

Ator: Oh, Zeus! Grande deus! Somos mortais, perdidos e desesperados. Seja clemente e mude nossas vidas. *(Nada acontece.)* Hem? Grande Zeus...

Triquiníases: Andem logo, rapazes. Porra!

Ator: Oh, grande Zeus!

(De repente, ouve-se um trovão e um fantástico relâmpago. O efeito é maravilhoso: Zeus desce à Terra, jorrando raios majestosamente.)

Bursitis: *(No papel de ZEUS.)* Eu sou Zeus, o deus dos deuses! O senhor dos milagres! Criador do universo! Trago salvação para todos!

Doris: Puuuxa! Esperem até a *light* ver isto!

Triquiníases: Então, Hepatitis, o que achou?

Escritor: É genial! Melhor do que eu esperava! É fantástico, fora de série! Já ganhei o festival! E é tão religioso! Olhe, até me deu arrepios! Doris...

(Agarra-a.)

Doris: Agora não!

Escritor: Preciso reescrever algumas cenas.

Triquiníases: Posso te alugar a máquina baratinho.

Escritor: *(Para Lorenzo:)* Quer fazer a apresentação da peça?

Lorenzo: Claro, claro. *(Todos saem. Lorenzo fica para trás e contempla a plateia. Enquanto ele fala, um coro grego entra e senta-se nos fundos do anfiteatro. Todos de bata branca, naturalmente.)* Boa noite, senhoras e senhores. Bem-vindos ao Festival de Teatro de Atenas. (*Som: aplausos.*). Temos um grande espetáculo para vocês esta noite. Uma nova peça de Hepatitis de Rodes, chamada *O Escravo. (Som: aplausos.)* Estrelando Diabetes, no papel do escravo; Bursitis, no papel de Zeus; Blanche DuBois, Doris Levine e grande elenco. *(Aplausos.)* Este espetáculo tem o patrocínio exclusivo da Pizzaria Odisseia, bem em frente ao Partenon. Não seja uma medusa com minhocas na cabeça quando quiser sair para jantar. Vá à Pizzaria Odisseia. Qualquer outra sugestão será um presente de grego. Lembre-se: Homero era freguês da Pizzaria Odisseia – e ele era cego! *(Sai. Diabetes interpreta o escravo chamado Fidípides. Perambula pela cena com outro escravo grego, enquanto o coro dá o recado.)*

Coro: Acercai-vos, ó gregos, e ouvi a história de Fidípides – um homem sábio, apaixonado e embebido nas glórias da Grécia.

Diabetes: Minha pergunta é: O que vamos fazer com um cavalo tão grande?

Amigo: Mas eles nos querem dar o bicho de graça!

Diabetes: E daí? Não serve para nada. E é grande demais... Não serve nem como bibelô. Escute o que estou dizendo, Crátino: se eu mandasse nessa joça, nunca confiaria num troiano. Já notou como não guardam nem feriados?

Amigo: Ouviu o boato sobre Cíclope? Pegou catarata.

Voz Off: Fidípides! Onde está esse escravo?

Diabetes: Já estou indo, patrão.

Patrão: (*Entra.*) Qual é, Fidípides? Há muita coisa para fazer! É preciso colher as uvas, trocar a roda da minha biga e apanhar água no poço – e aí está você, de bobeira!

Diabetes: Não estava de bobeira, patrão. Estava discutindo política.

Patrão: Um escravo discutindo política! Ha, ha!

Coro: Ha, ha, ha! Essa foi boa!

Diabetes: Desculpe, patrão.

Patrão: Você e a nova escrava hebreia arrumem a casa. Estou esperando convidados. Depois vá fazer as outras tarefas.

Diabetes: Qual nova hebreia?

Patrão: Doris Levine.

Doris: Chamou?

Patrão: Arrume a casa. Não fique enrolando. Ande logo!

Coro: Pobre Fidípides. Um mísero escravo. E, como todos os escravos, só anseia por uma coisa na vida...

Diabetes: Ser mais alto!

Coro: Ser... livre!

Diabetes: Não quero ser livre!

Coro: Não?

Diabetes: Claro que não. Sei exatamente o que esperam de um escravo. Cuidam de mim. Não tenho que tomar decisões. Nasci escravo e pretendo morrer escravo. Não tenho grilos.

Coro: Buuu... Buuu... *(Vaia.)*

Diabetes: Ah, vão tomar banho, seus idiotas!

(Beija Doris, mas ela se desvencilha.)

Doris: Não faça isto!

Diabetes: Por que não? Doris, meu coração está estourando de amor – ou, como vocês, hebreus, gostam de dizer: tenho um presentinho para você.

Doris: Não daria certo.

Diabetes: Por que não?

Doris: Porque você gosta de ser escravo e eu detesto isto. Quero minha liberdade. Quero viajar, escrever um livro, viver em Paris, quem sabe dirigir uma revista feminina.

Diabetes: Por que essa zorra toda a respeito de liberdade? É perigoso! O bom é quando cada um sabe o seu lugar. Você não vê, Doris, o governo muda todo dia. Os políticos se xingam uns aos outros, as cidades são saqueadas, as pessoas são torturadas. Quando há uma guerra, quem você pensa que vai à luta? As pessoas livres. Mas nós estamos a salvo, porque, não importa quem esteja mandando, sempre vão precisar de alguém para lavar as privadas.

(Agarra-a.)

Doris: Me largue! Enquanto for escrava, nunca poderei gostar de sexo.

Diabetes: Nem pode fingir que gosta?

Doris: Não.

Coro: E, então, um dia, os Fados intervêm na história.

(Entram os Fados: um casal vestido como típicos turistas americanos, de bermudas e camisas havaianas; Bob usa uma câmara no pescoço.)

Bob: Oi, caras, nós somos os Fados. Eu sou Bob Fado e esta é minha mulher, Wendy Fado. Precisamos de alguém para levar uma mensagem urgente ao rei.

Diabetes: Ao rei?

Bob: Estaria prestando um grande serviço à humanidade.

Diabetes: Eu???

Wendy: Sim, mas é uma missão perigosa, e, embora você seja apenas um escravo, tem o direito de dizer não.

Diabetes: Então, não.

Bob: Mas também te dará a oportunidade de ver o palácio por dentro, em toda a sua glória.

Wendy: E o prêmio é a sua liberdade.

Diabetes: Minha liberdade? Olhem, gostaria de ajudar, mas estou com um assado no forno e...

Doris: Eu levo a mensagem!

Bob: É perigoso demais para uma mulher.

Diabetes: Ela corre bem!

Doris: Fidípides, como pode recusar?

Diabetes: Quando se é covarde, certas coisas são fáceis.

Wendy: Nós lhe imploramos – por favor...

Bob: O destino da humanidade está em jogo!

Wendy: Aumentamos a oferta. Liberdade para você e para qualquer pessoa de sua escolha.

Bob: E mais um faqueiro de dezesseis peças!

Doris: Fidípides, é a nossa chance!

Coro: Aceite, seu babaca!

Diabetes: Uma missão tão perigosa e cujo prêmio é a liberdade? Acho que vou vomitar.

Wendy: *(Passa-lhe um envelope.)* Leve esta mensagem ao rei.

Diabetes: E por que vocês mesmos não levam?

Bob: Estamos de partida para Nova Iorque em poucas horas.

Doris: Fidípides, você diz que me ama...

Diabetes: E amo mesmo!

Coro: Vamos logo, Fidípides, esta peça não dura a noite inteira!

Diabetes: Estão vendo? Já começaram a me obrigar a tomar decisões (*O telefone toca e ele atende.)* Alô?

Voz de Woody: Quer levar a merda da mensagem para o rei, pô? Todo mundo aqui tem mais o que fazer!

Diabetes: *(Desliga.)* Está bem. Mas só porque Woody mandou.

Coro: *(Canta.)* Pobre Professor Higgins...

Diabetes: Estão na peça errada, seus debiloides. Isto aqui não é *My Fair Lady!*

Doris: Boa sorte, Fidípides!

Wendy: E você vai precisar!

Diabetes: Como assim?

Wendy: Hem? Nada. Estava só brincando.

Doris: E, finalmente, quando formos livres, iremos para a cama. Quem sabe um dia chegarei a gozar!

Hepatitis: *(Surge no palco.)* Um fuminho antes ajuda às vezes...

Ator: Mas você é o escritor!

Hepatitis: Não pude resistir!

(Sai.)

Doris: Ande, vá logo!

Diabetes: Estou indo!

Coro: E, assim, Fidípides pôs-se a caminho, levando uma importante mensagem para o Rei Édipo.

Diabetes: Rei Édipo?

Coro: É.

Diabetes: Não é aquele que come a própria mãe?

(Efeitos: Vento e relâmpagos quando Escravo entra.)

Coro: Através de altos vales e profundas montanhas.

Diabetes: Altas montanhas e profundos vales, seus animais! Onde foi que arranjaram esse coro?

Coro: Chega de cascata! Te manda!

Diabetes: *(Orgulhoso.)* Estão vendo como são as coisas? Até há pouco eu era um escravo que nunca tinha saído da propriedade do patrão. E agora estou levando uma mensagem para o rei. Para o rei! Pensam que é pouca merda? Logo serei um homem livre. De repente, todas as possibilidades humanas abrem-se para mim. E, não sei por quê, me deu uma terrível vontade de vomitar...

(Vento.)

Coro: Os dias tornam-se semanas; as semanas, meses. E Fidípides continua a caminho.

Diabetes: Não podiam desligar esses malditos ventiladores?

Coro: Pobre Fidípides, um mísero mortal.

Diabetes: Estou cansado, doente e de saco cheio. Não posso continuar. Olhem, minha mão está tremendo... *(O coro solfeja uma* versão *lenta de Dixie.)* Quantas mortes ao meu redor. Guerra, miséria, irmão contra irmão; o Sul, rico em tradição; o Norte, predominantemente industrial. Olê, olá, o Presidente Lincoln está botando pra quebrar. *(Solfeja junto a canção.)* Ah! (Vê. *Hepatitis olhando para ele.)* D-d-desculpe... Eu me empolguei... *(Hepatitis agarra-o pelo pescoço e o põe de pé.*)

Hepatitis: Como é, rapaz? Qual é a sua?

Diabetes: Cadê o palácio? Estou andando há dias! Que raio de peça é esta? E onde fica esse palácio? Na casa do...

Hepatitis: Você logo estará no palácio, se não parar de estragar minha peça! Guarda! *(Enorme guarda entra.)*

Guarda: Quem é você?

Diabetes: Sou Fidípides.

Guarda: O que veio fazer no palácio?

Diabetes: Qual palácio? Já cheguei?

Guarda: Este é o palácio real. A mais bela estrutura arquitetônica de toda a Grécia: todo de mármore acrílico e fórmica!

Diabetes: Trago uma mensagem para o rei.

Guarda: Ah, sim, ele está esperando por você!

Diabetes: Minha garganta está seca e não como há dias.

Guarda: Vou mandar chamar o rei.

Diabetes: Que tal encomendar também um cheeseburger?

Guarda: Vou chamar o rei e encomendar o sanduíche. Bem ou malpassado?

Diabetes: Ao ponto.

Guarda: *(Tira um bloquinho e anota.)* Um *cheeseburger* ao ponto. Já vem com mostarda e *ketchup*.

Diabetes: O que mais vocês têm?

Guarda: Deixe eu ver... Cenouras, salada de batata

Diabetes: Está bem, salada de batata...

Guarda: Refresco?

Diabetes: Laranjada. E uma gravata-borboleta frita. Além do rei, é claro.

Guarda: É para já! *(Sai. Os Fados aparecem, batendo fotos.)*

Bob: Que tal o palácio?

Diabetes: Estou adorando!

Bob: *(Entregando a câmara para sua mulher.)* Tire uma nossa juntos.

(Posam e ela bate.)

Diabetes: Pensei que já estivessem em Nova Iorque.

Wendy: Pois é, mas sabe como são os Fados...

Bob: Terríveis! A vida é assim...

Diabetes: *(Inclina-se para cheirar a flor na lapela de Bob.)* Linda flor!

(Leva um esguicho na cara e os Fados riem.)

Bob: Desculpe, mas não pude resistir.

(Estende-lhe a mão. *Diabetes aperta. Leva um choque daqueles anéis elétricos.*)

Diabetes: Aiiiiii!

(Os Fados saem rindo.)

Wendy: Ah, esse Bob é incorrigível!

Diabetes: *(Para o coro.)* Vocês sabiam que ele ia fazer isto!

Coro: Ele é um bobo.

Diabetes: Por que não me avisaram?

Coro: Não gostamos de nos meter.

Diabetes: Não gostam de se meter? Uma mulher foi esfaqueada por um tarado no centro da cidade, ao meio-dia, com dezesseis pessoas olhando, e ninguém fez nada!

Coro: Lemos sobre isso no jornal. E não foram dezesseis pessoas. Foram quinze.

Diabetes: Não importa! Se alguém a tivesse ajudado, ela estaria aqui hoje!

Mulher: *(Entra com faca no peito.)* Estou aqui!

Diabetes: Eu sabia que ia queimar a língua nesta peça!

Mulher: Trabalhei a vida inteira naquela rua. De repente, estava lendo o jornal na esquina e seis brutamontes – viciados em drogas – me agarram e me jogam no chão.

Coro: Não eram seis. Eram três.

Mulher: Seis, três, e daí? Cada um com uma faca na mão. Queriam meu dinheiro.

Diabetes: Você devia tê-lo dado a eles.

Mulher: Eu dei. E mesmo assim continuaram a me esfaquear.

Coro: As cidades modernas são fogo.

Diabetes: Modernas? Em toda a parte. Eu estava andando com Sócrates em Atenas, e dois pivetes de Esparta saíram de trás da Acrópole e pediram o nosso dinheiro!

Mulher: E aí?

Diabetes: Sócrates provou-lhes, pelo simples uso da lógica, que o mal era a simples ignorância da verdade.

Mulher: E o que aconteceu?

Diabetes: Encheram-lhe a cara de socos.

Mulher: Espero que sua mensagem para o rei sejam boas notícias.

Diabetes: Também espero, por causa dele.

Mulher: Você quer dizer por sua causa.

Diabetes: Pois é... Como assim, por minha causa?

Coro: *(Morrendo de rir.)* Ha, ha, ha!

(A iluminação torna-se sinistra.)

Diabetes: A luz mudou... O que significa isto? O que acontece se são más notícias?

Mulher: Antigamente quando um mensageiro levava uma mensagem ao rei, recebia um prêmio se a notícia era boa.

Coro: Arquibancadas grátis para qualquer jogo!

Mulher: Mas, se fossem más notícias...

Diabetes: Não quero saber!

Mulher: O rei condenava o mensageiro à morte.

Diabetes: Ainda estamos em antigamente?

Mulher: Não se enxerga no espelho, seu cego?

Diabetes: Agora sei o que você queria dizer, Hepatitis!

Mulher: Às vezes, quando o rei estava de bom humor, o mensageiro era apenas degolado...

Diabetes: Como bom humor, se o mensageiro era degolado???

Coro: Mas, se as notícias fossem péssimas...

Mulher: Então o mensageiro era assado vivo...

Coro: Em fogo brando!

Diabetes: Já faz tanto tempo que fui assado vivo em fogo brando que nem me lembro se gostei ou não.

Coro: Pode crer – não vai gostar nem um pouco.

Diabetes: Onde está Doris Levine? Se eu puser as mãos naquela hebreia festiva...

Mulher: Ela não poderá ajudá-lo. Está a quilômetros daqui.

Diabetes: Doris! Onde está você?

Doris: *(Na plateia.)* O que você quer?

Diabetes: O que está fazendo aí?

Doris: A peça me deu no saco!

Diabetes: Como deu no saco? Venha já pra cá. Estou fudido aqui por sua causa!

Doris: *(Levantando-se.)* Desculpe, Fidípides. Não sou obrigada a saber o que aconteceu na História Antiga. Estudei filosofia, você sabe.

Diabetes: Se forem más notícias, estou frito. Ou assado!

Doris: Tou sabendo.

Diabetes: É essa a sua ideia da liberdade?

Doris: Ou se perde ou se ganha!

Diabetes: Ou se perde ou se ganha? Foi isso que você aprendeu naquela faculdade do Brooklyn?

Doris: Olha aqui, cara, corta essa!

Diabetes: Se forem más notícias, estou morto. Espere aí! A mensagem! Estou com ela aqui! *(Revira os bolsos, tira a mensagem do envelope. Lê.)* Para Melhor Ator Coadjuvante, o Vencedor É

(usa o nome do ator que interpreta Hepatitis.)

Hepatitis: *(Surge no palco.)* Senhoras e senhores, ao receber este Prêmio quero agradecer a papai e mamãe pelo estímulo que sempre me...

Ator: Caia fora. Li a mensagem errada!

(Tira do bolso a verdadeira mensagem.)

Mulher: Depressa, o rei está chegando!

Diabetes: Veja se ele está trazendo meu sanduíche.

Doris: Depressa, Fidípides!

Diabetes: *(Lê.)* A mensagem é uma única palavra.

Doris: Sim?

Diabetes: Como você sabe?

Doris: Sabe o quê?

Diabetes: A mensagem só diz "Sim".

Coro: Isto é bom ou ruim?

Diabetes: Não sei. "Sim" é afirmativo? Ou não? Não é? (*Experimentando.*) Sim!

Doris: E se a pergunta tiver sido "A rainha está com gonorreia?"

Diabetes: Tem razão!

Coro: Sua majestade, o rei!

(Fanfarra para a grande entrada do rei.)

Diabetes: Majestade, a rainha está com gonorreia?

Rei: Quem pediu este sanduíche?

Diabetes: Fui eu, majestade. Isto aí são cenouras? Porque eu pedi salada de batata.

Rei: Estamos em falta de batatas.

Diabetes: Então pode levar de volta. Vou comer lá na esquina.

Coro: A mensagem. *(Diabetes faz vários psius para eles.)* A mensagem. Ele traz a mensagem!

Rei: Humilde escravo, tens uma mensagem para mim?

Diabetes: Humilde rei, ah... Realmente, como de fato...

Rei: Ótimo.

Diabetes: Pode me dizer a pergunta?

Rei: Primeiro a mensagem.

Diabetes: Não, Vossa Majestade primeiro.

Rei: Não, você!

Diabetes: Não, você!

Rei: Não, você!

Coro: Faça Fidípides falar primciro.

Rei: Ele?

Coro: Claro!

Rei: Mas como?

Coro: Porque você é o rei, seu pateta!

Rei: Ah, é! Eu sou o rei! Qual é a mensagem?

(Guarda puxa uma espada.)

Diabetes: A mensagem é... ss-nnn – *(Tentando ter uma ideia antes de lê-la.)* não-sim-talvez-talvez...

Coro: Ele está mentindo.

Rei: A mensagem, escravo!

(Guarda põe a espada no pescoço de *Diabetes.)*

Diabetes: Resume-se a uma palavra, majestade...

Rei: Uma palavra?

Diabetes: Estranho, não é? Por que, pelo mesmo preço, ele tinha direito a catorze palavras...

Rei: Uma única palavra para responder à pergunta das perguntas: Existe um Deus?

Diabetes: Foi esta a pergunta?

Rei: Ué! Pois se é a única pergunta!

Diabetes: *(Olha para Doris, aliviado.)* Então, orgulho-me de dar-lhe a resposta. A resposta é "Sim".

Rei: Sim?

Diabetes: Sim.

Coro: Sim.

Doris: Sim.

Diabetes: É a sua vez.

Mulher: *(Ciciando.)* Ssssim.

(Diabetes a olha de esguelha.)

Doris: Não é um barato?

Diabetes: Sei que Vossa Majestade deve estar pensando numa boa recompensa para o seu fiel escravo – mas nossa liberdade é mais do que suficiente. Por outro lado, se Vossa Majestade insiste em demonstrar sua gratidão, estamos longe de recusar diamantes.

Rei: *(Com voz grave.)* Se existe um Deus, então o homem não é responsável por seus atos, e eu serei com toda certeza julgado por meus pecados.

Diabetes: Como disse?

Rei: Julgado por meus pecados, por meus crimes. Crimes horríveis! Estou condenado! A mensagem que me trouxeste condena-me à eternidade.

Diabetes: Eu disse sim? Mas eu quis dizer não!

Guarda: *(Agarra o envelope e lê a mensagem.)* A mensagem diz sim, majestade.

Rei: Esta é a pior notícia que eu podia ter recebido na vida!

Diabetes: *(Caindo de joelhos.)* Majestade, não é minha culpa! Sou apenas um humilde mensageiro. Não fui eu quem escreveu a mensagem. Apenas a transmiti. É como a gonorreia da rainha.

Rei: Você será desmembrado por cavalos selvagens!

Diabetes: Eu sabia que Vossa Majestade compreenderia.

Doris: Mas ele não passa de um mensageiro! Não pode amarrá-lo a cavalos selvagens. Devia assá-lo em fogo brando!

Rei: É bom demais para este lixo.

Diabetes: Quando o Serviço de Meteorologia prediz chuva, Vossa Majestade manda matar os meteorologistas?

Rei: Claro!

Diabetes: Meu Deus, trata-se de um esquizofrênico!

Rei: Levem-no. *(O Guarda o agarra.)*

Diabetes: Espere, Majestade. Posso dizer uma palavra em minha defesa?

Rei: Sim?

Diabetes: Isto é apenas uma peça.

Rei: É o que todos dizem. Dê-me sua espada, soldado. Quero ter o prazer de matar eu mesmo esse canastrão.

Doris: Não, não – Oh, por que fui me meter nisto?

Coro: Não se preocupe. Você é jovem, arranjará outro.

Doris: É verdade.

Rei: *(Levanta a espada.)* Morra!

Diabetes: Oh, Zeus – Deus dos Deuses, salve-me com seu raio! (*Todos olham para cima, mas nada acontece. Uma situação melindrosa.)* Oh, Zeus... Oh, Zeus!

Rei: E agora, morra!

Diabetes: Oh, Zeus – cadê esse merda do Zeus?

Hepatitis: (*Entra e olha para cima.*) Pelo amor de Zeus, vamos logo com essa máquina. Desçam-no.

Triquiníases: *(Entra pelo outro lado.*) Emperrou!

Diabetes: *(Dando a deixa.)* Oh, grande Zeus!

Coro: O fim é igual para todos!

Mulher: Não vou ficar parada aqui e vê-lo ser esfaqueado como eu no meio da rua!

Rei: Agarre-a.

(O guarda a agarra e o Rei a atravessa com a espada.)

Mulher: Pela segunda vez esta semana! Puta que me pariu!

Diabetes: Oh, grande Zeus! Meu Deus, socorro!

(Efeitos. Relâmpagos. Zeus é descido desajeitadamente e estrebuchando, até vermos que o arame o estrangulou. Todos olham espantados.)

Triquiníases: Alguma coisa saiu errado! A máquina bateu o pino!

Coro: Finalmente, Deus aparece!

(Mas já está mortinho da silva.)

Diabetes: Deus... Deus... Deus? Deus? Você está bem? Há um médico na plateia?

Médico: *(Na plateia.)* Eu sou médico.

Triquiníases: A máquina sifo!

Hepatitis: Psiu! Cale a boca! Você está atrapalhando a peça!

Diabetes: Deus morreu!

Médico: Tinha seguro de vida?

Hepatitis: Improvisem...

Diabetes: Improvisar o quê?

Hepatitis: Improvisem o final!

Triquiníases: Alguém puxou a alavanca errada!

Doris: Quebrou o pescoço.

Rei: *(Tentando continuar a peça.)* Ah... está vendo, mensageiro, o que você fez? *(Brande a espada. Diabetes a agarra.)* Me dê isto!

Rei: O que está fazendo?

Diabetes: Me matar, né? Doris, venha me ajudar!

Rei: Fidípides, o que está fazendo?

Guarda: Hepatitis, ele está estragando o final da peça!

Coro: Ficou louco, Fidípides? Era o rei que devia te matar!

Diabetes: Quem disse isso? Onde está escrito? Não – eu prefiro matar o rei!

(Investe contra o Rei, mas a espada é de mentira.)

Rei: Pare com isso! Ele é louco! Pare! Isso faz cócegas! Ha, ha, ha!

Médico: *(Tomando o pulso de Deus.)* Está mais do que morto. É melhor tirá-lo daqui.

Coro: Não temos nada a ver com isso.

(Coro começa a sair, carregando o corpo de Deus.)

Diabetes: O escravo decide tornar-se um herói!

(Ataca o Guarda, mas a espada ainda é a de mentira.)

Guarda: Que está fazendo?

Doris: Eu te amo, Fidípides *(Ele a beija.)* Agora não, não estou com vontade.

Hepatitis: Minha peça... Minha peça... *(Para o coro.)* Aonde pensam que vão?

Rei: Eles, não sei. Mas eu vou telefonar para Sol Mishking, meu agente. Ele saberá que providências tomar.

Hepatitis: Esta é uma peça séria! Tem até mensagem! Se fracassar, a plateia nunca entenderá a mensagem!

Mulher: O teatro é diversão, sua besta. Há um velho ditado: "se quiser enviar uma mensagem, passe um telegrama".

Carteiro: *(Entra de bicicleta.)* Telegrama para a plateia! É a mensagem do Autor!

Diabetes: Quem é este?

Carteiro: *(Desce da bicicleta e canta.)* Parabéns pra você, nesta data querida...

Hepatitis: A mensagem não é esta!

Carteiro: *(Lendo o telegrama.)* Tem razão, desculpe. Já achei a sua. Deus está morto. PT. Cada um por si. PT. Assinado – Salão de Bilhares Moscowitz.

Diabetes: Claro, tudo é possível. Agora o herói sou eu!

Doris: E eu acho que vou gozar agora mesmo. Conheço os sintomas!

Carteiro: *(Continua lendo.)* Doris Levine está finalmente autorizada a ter um orgasmo. PT. Mas só se ela quiser. PT.

(Agarra-a.)

Doris: PT! PT!

(Entra no palco um brutamontes.)

Stanley: Stella! Stella!

Hepatitis: Já não há realidade! Absolutamente nenhuma!

(Groucho Marx corre pelo palco atrás de Blache. Na plateia, um homem se levanta.)

Homem: Se tudo é permitido, vou-me embora para casa! Estou farto de trabalhar na Bolsa! Não aguento mais tomar aquele frescão!

(Agarra uma mulher na plateia. Rasga-lhe a blusa, e corre atrás dela pelas coxias – para isto, pode-se usar a vagalume)

Hepatitis: Minha peça... *(Os personagens abandonaram o palco, deixando apenas os dois personagens originais, o escritor* e *o ator, Hepatitis e Diabetes.)* Minha peça...

Diabetes: A peça era boa. Só precisava de um final.

Hepatitis: Mas o que a peça significava?

Diabetes: ... Nada... absolutamente nada...

Hepatitis: O quê?

Diabetes: Sem sentido. Vazia.

Hepatitis: É o fim.

Diabetes: Claro. O que estamos discutindo? Estamos discutindo o fim.

Hepatitis: Estamos sempre discutindo o fim.

Diabetes: Porque não dá pé.

Hepatites: Admito que esteja insatisfatório.

Diabetes: Insatisfatório? Está horrível! O segredo é começar a peça pelo fim. Imagine um final bem forte e depois escreva de trás para a frente.

Hepatitis: Já tentei isso. Tenho uma peça sem começo.

Diabetes: Isso é absurdo.

Hepatitis: Absurdo? O que é absurdo?

(**Trevas**)

Aplica-se particular ênfase à questão de leituras.

Todos os pedidos de licença e permissão devem ser dirigidos a Samuel French, Inc., 25 West 45TH Street, New York, New York 10036, ou ao seu representante para a língua portuguesa, Lúcia Riff/ BMSR, Rua Visconde de Pirajá 414, sala 1108 – CEP 22410-002 – Rio de Janeiro-RJ.

Fábulas, Bestas e Mitos

O que se segue é uma amostra de algumas das criações mais imaginativas da literatura mundial. Fazem parte de uma antologia em quatro volumes que estou preparando e que será publicada assim que terminar a greve dos pastores noruegueses.

O Nurque

O nurque é um pássaro de cinco centímetros de comprimento e capaz de falar, mas que insiste em referir-se a si próprio na 3ª pessoa, mais ou menos assim: "Ele é um belo passarinho, não é?".

Segundo a mitologia persa, quando um nurque pousa no peitoril da janela, é sinal de que um parente ficará rico ou quebrará ambas as pernas numa rifa.

Diz-se que Zaratustra ganhou um nurque como presente de aniversário, embora tivesse preferido um par de calças cinzas. O nurque também aparece na mitologia babilônica, embora de maneira sarcástica, pois limita-se a dizer: "Ah, sosseguem o periquito!".

Alguns leitores talvez conheçam uma ópera ligeiramente obscura de Holstein, chamada *Taffelspitz,* na qual uma jovem muda apaixona-se por um nurque, beija-o voluptuosamente e os dois saem voando pelo palco até baixar o pano.

O Luzardo

O luzardo é um lagarto com quatrocentos olhos – duzentos para distância e duzentos para leitura. Segundo a lenda, quando um homem olha de frente a cara de um luzardo, perde imediatamente a sua carteira de motorista.

Também legendário é o cemitério dos luzardos, cuja localização é desconhecida até para eles próprios. Nesse caso, quando um luzardo morre deve permanecer onde está até ser recolhido.

Na mitologia escandinava, Loki tenta descobrir o cemitério dos luzardos, mas, em vez disso, flagra um bando de renanas tomando banho e acaba com triquiníases.

***

O Imperador Ho Sin sonhou que possuía um palácio muito maior do que o seu e pela metade do aluguel. Saindo pelo portão principal, Ho Sin notou que seu corpo havia rejuvenescido, embora seu rosto continuasse entre 65 e 70 anos. Ao abrir uma porta, encontrou outra porta, que levava ainda a outra e assim por diante, até perceber que havia atravessado cem portas e que tinha saído no quintal.

Quando Ho Sin estava à beira do desespero, um rouxinol pousou em seu ombro e cantou a mais linda melodia que ele já ouvira, bicando-o em seguida no nariz.

Purificado, Ho Sin olhou-se no espelho e, em vez de ver sua própria imagem, viu um homem chamado Mendel Goldblatt, conhecido bombeiro da região e que o acusou de roubar seu sobretudo.

Desde então, Ho Sin aprendeu o segredo de sua vida: "Jamais cantar canções tirolesas". Quando o imperador acordou, estava suando frio e não se lembrava se havia sonhado ou se estava sendo sonhado por seu avalista.

O Frim

O frim é um monstro marinho com o corpo de um caranguejo e a cabeça de um perito contador.

Diz-se que os frins têm belíssimas vozes que levam os marinheiros à loucura, principalmente quanto entoam canções de Cole Porter.

Matar um frim traz a infelicidade. Num poema de Sir Herbert Figg, um marinheiro matou um frim e imediatamente uma tempestade pôs o barco a pique, obrigando a tripulação a agarrar o comandante e a jogar no mar sua dentadura postiça para eliminar peso.

O Cabrão

O cabrão é uma besta mitológica com a cabeça de um leão e o corpo de um leão, mas não do mesmo leão. Diz-se que o cabrão dorme mil anos e, de repente, acorda em chamas, principalmente se tiver cochilado fumando.

Parece que Odisseu acordou um cabrão que dormia há seiscentos anos, mas este, ainda meio tonto de sono, implorou-lhe que o deixasse dormir por mais uns duzentos.

A aparição do cabrão costuma trazer má sorte, e geralmente precede a peste, a fome ou o convite para uma noite de autógrafos.

***

Um sábio indiano apostou com um mágico que este não conseguiria tapeá-lo. Como represália, o mágico deu com a varinha na cabeça do sábio e transformou-o num pelicano. O pelicano então voou pela janela até Madagáscar e depois mandou buscar sua bagagem.

A mulher do sábio, que a tudo presenciara, perguntou ao mágico se ele conseguia transformar coisas em ouro. Em caso afirmativo, se não poderia transformar seu irmão em três dólares à vista, para que o dia não fosse totalmente perdido.

O mago disse que, para aprender aquele truque, a pessoa deveria ir aos quatro cantos da Terra, de preferência fora da temporada, de vez que, no verão, pelo menos três cantos estão cheios de turistas.

A mulher pensou por um momento e partiu para uma peregrinação a Meca, esquecendo-se de desligar o forno. Retornou dezessete anos depois, tendo visto o Lama e, a partir daí, adquirido direito à aposentadoria.

(As histórias acima fazem parte de uma série de mitos hindus que nos explicam a origem e usos da geleia de mocotó. N.A.)

O Vergão

Um enorme rato branco com notas musicais impressas em seu estômago. O vergão é um caso raro entre os roedores pelo fato de poder ser domesticado e tocado como um acordeão. Semelhante ao vergão, existe também o luneta, um pequeno caxinguelê capaz de assoviar todos os sucessos de 1933.

***

Os astrônomos falam de um planeta desabitado chamado Quelm, tão distante da Terra que um homem viajando à velocidade da luz levaria seis milhões de anos para chegar. Felizmente, os cientistas já estão planejando uma nova astronave que cortará duas horas do percurso.

Como a temperatura em Quelm é 1.300º abaixo de zero, não é permitido tomar banho. Com isso, os clubes fecharam ou aboliram a música ao vivo, convertendo-se em discoteques.

Devido à sua distância do centro do sistema solar, Quelm não tem gravidade, o que dificulta enormemente oferecer grandes jantares sentados.

Além de todos esses problemas, Quelm também anda em falta de oxigênio, o que praticamente torna impossível a vida como a conhecemos. Talvez por isto, as criaturas que por lá existem são obrigadas a ter dois empregos para sobreviver.

Diz a lenda, no entanto, que, há muitos bilhões de anos, o meio ambiente em Quelm não era tão abominável – ou, pelo menos, não era pior do que no Piauí – e que existia vida humana. Esses seres humanos (que se pareciam com os nossos em todos os aspectos, exceto pelo fato de que usavam um molhe de alface no lugar do nariz) eram filósofos. Como filósofos, eles se baseavam profundamente na lógica e achavam que, se a vida existia, alguém devia tê-la criado. Daí, saíram à procura de um sujeito moreno, com uma tatuagem no braço e roupa de marinheiro.

Quando se convenceram de que nunca o encontrariam, abandonaram a filosofia e passaram a dedicar-se à prática do reembolso postal. Infelizmente, as tarifas subiram tanto que foram à falência e isto extinguiu a vida inteligente em Quelm.

Mistérios da Literatura

Pergunte a qualquer um quem escreveu *Hamlet, Romeu e Julieta, Rei Lear* e *Otelo*, e, na maioria dos casos, a resposta será: "Ora, o Imortal Bardo de Stratford-on-Avon!". Bem, então pergunte quem escreveu os sonetos de Shakespeare e veja se consegue a mesma resposta. Agora, faça essas mesmas perguntas a certos detetives literários que surgem de vez em quando e não fique surpreso se as respostas forem Sir Francis Bacon, Ben Jonson, a Rainha Elizabeth e talvez até um sujeito chamado Old Vic.

A mais recente dessas teorias encontra-se num livro que acabei de ler, o qual tenta provar que o verdadeiro autor das obras de Shakespeare foi Christopher Marlowe. O livro é muito convincente, mas, quando cheguei ao fim, já não sabia se Shakespeare era Marlowe, se Marlowe era Shakespeare ou sei lá o quê. Só sei que eu jamais descontaria um cheque de nenhum dos dois – e eu os admiro.

Tentando não perder de vista a tese do tal livro, minha primeira pergunta é: Se Marlowe escreveu as obras de Shakespeare, quem escreveu as de Marlowe? A resposta jaz no fato de que Shakespeare foi casado com uma mulher chamada Anne Hathaway. Isto é autêntico. No entanto, à luz da nova tese, foi Marlowe quem se casou na realidade com Anne Hathaway, e isto causou a

Shakespeare um grande desgosto, principalmente porque não o deixavam entrar em casa.

Mas, certo dia fatal, depois de uma furiosa discussão a respeito do ponto e vírgula, Marlowe foi assassinado – ou disfarçaram-no e deram um sumiço nele, a fim de evitar uma acusação de heresia, a qual era punida com a morte ou o sumiço, tanto faz.

Foi então que a jovem esposa de Marlowe tomou da pena do marido e continuou a escrever as peças e sonetos que hoje todos conhecemos e evitamos. Mas permitam-me esclarecer.

Todos sabemos que Shakespeare (Marlowe) tomou emprestado suas histórias dos antigos (modernos). No entanto, quando chegou a época de devolvê-las, já estavam tão gastas e usadas que ele foi obrigado a fugir do país, sob o nome falso de William Bardo (donde a expressão "Imortal Bardd"), a fim de não ser preso sob a acusação de perdas e danos (donde a expressão "perdas e danos").

É aí que Sir Francis Bacon entra na história. Bacon foi um dos pioneiros da indústria de toucinho. Segundo a lenda, morreu ao tentar transformar um porco vivo em salame. Aparentemente, o porco foi mais rápido e transformou-o em bacon. Decidido a esconder de Shakespeare a existência de Marlowe, para que não se descobrisse que eram a mesma pessoa, Bacon adotou o nome fictício de Alexander Pope, o qual era, naturalmente, o Papa Alexandre, Sumo Pontífice muito popular na época e então no exílio desde a invasão da Itália pelos bardos, a última das tribos bárbaras.

O mistério aprofundou-se quando Ben Jonson promoveu o falso enterro de Marlowe, convencendo um poeta menor a tomar o seu lugar no caixão. Não se deve confundir Ben Jonson com Samuel Johnson, mesmo porque Johnson tinha um *h* a mais, considerando-se que Jonson não tinha nenhum. Além disso, Samuel Johnson não era Samuel Johnson, e sim Samuel Pepys, o pioneiro da dispepsia. Quanto a Samuel Pepys, era, na realidade, Sir Walter Raleigh, que fugira da Torre de Londres para escrever *Paraíso Perdido,* sob o pseudônimo de John Milton – um poeta que, devido à cegueira, também escapou acidentalmente da Torre para ser enforcado sob o nome de Jonathan Swift. Tudo isso fica perfeitamente claro quando sabemos que George Eliot era mulher.

Considerando-se esses fatos novos, *Rei Lear* não é uma peça de Shakespeare, mas uma revista satírica de Chaucer, originariamente intitulada *Ninguém é de Ferro,* a qual contém a pista para se descobrir quem matou Marlowe – um homem conhecido nos tempos elisabetanos (uma homenagem a Elizabeth Barret Browning) como Old Vic. Tempos depois, Old Vic admitiu ser a identidade secreta de Victor Hugo, autor de *O Corcunda de Notre Dame,* que, para alguns estudantes de literatura, não passa de *Coriolano* com outro nome. Agora leia tudo de novo bem depressa e veja se não é um quebra-língua.

Daí, fico me perguntando se Lewis Carroll não estaria apenas caricaturando toda esta embrulhada em seu livro *Alice no País das Maravilhas.* A Lebre Maluca era Shakespeare; o Chapeleiro Louco, Marlowe; o Rato, Bacon – ou o Chapeleiro Louco seria Bacon e, Marlowe, a Lebre Maluca – ou Carroll seria Bacon e Marlowe, o Rato – ou Alice seria Shakespeare – ou Bacon – ou Shakespeare e Marlowe seriam Tweedledum e Tweedledee. Uma pena que Carroll não esteja vivo para pôr as coisas em pratos limpos. Ou Bacon. Ou Marlowe. Ou Shakespeare. O fato é que, se você mudar de endereço, não deixe de notificar o correio. A menos que você não esteja ligando para a posteridade.

Se os Impressionistas Tivessem Sido Dentistas

(Uma fantasia explorando a transposição de temperamento)

Prezado Theo,

Até quando a vida será tão ingrata? Estou roído pelo desespero e minha cabeça lateja! A Sra. Sol Schwimmer está me processando porque fiz sua ponte de acordo com minha própria inspiração, e não para se ajustar à sua ridícula boca. Mas é claro! Não sou um comerciante barato para trabalhar de encomenda! Achei que sua ponte devia ser enorme e exuberante, com dentes selvagens e explosivos, apontando para todas as direções. E agora ela está aborrecida porque eles não cabem em sua boca. É tão burguesa e burra que gostaria de matá-la! Tentei fazer com que a ponte entrasse à força, mas os dentes continuam para fora como pingentes de um candelabro. Para mim, está lindo! Mas ela reclama que não consegue mastigar. E que importa se ela consegue mastigar ou não? Theo, não vou suportar isto por muito tempo. Perguntei a Cézanne se ele dividiria o consultório comigo, mas Cézanne está velho, suas mãos tremem e, para segurar os instrumentos, têm de ser amarrados em seus pulsos. Com isso, falta-lhe precisão e, ao trabalhar na boca de alguém, faz mais estragos que consertos. O que fazer?

Vincent.

Prezado Theo,

Tirei algumas radiografias de clientes esta semana – em minha opinião, excelentes. Mostrei-as a Degas, que não gostou. Disse que a composição estava péssima, e que todas as cáries estavam amontoadas no canto inferior esquerdo. Expliquei-lhe que a boca da Sra. Slotkin era assim mesmo, mas não quis nem saber. Criticou também a moldura, muito pesada para aquele estilo. Quando ele saiu, rasguei as radiografias em pedacinhos! Como se não bastasse, tentei trabalhar no canal da Sra. Wilma Zardis, mas, a meio do caminho, desinteressei-me. Descobri que o tratamento de canal não é o que eu quero fazer. Aquilo me deixou afogueado e zonzo. Saí correndo do consultório para tomar um pouco de ar, mas devo ter desmaiado porque acordei na praia vários dias depois. Quando voltei ao consultório, a Sra. Zardis ainda estava na cadeira, de boca aberta. Completei o tratamento a contragosto, mas não tive vontade de assiná-lo.

Vincent.

Prezado Theo,

Mais uma vez, vejo-me sem dinheiro. Sei que tenho sido um fardo para você, mas a quem mais posso recorrer? Preciso de dinheiro para comprar material. Tenho trabalhado exclusivamente com guta-perxa, o que me obriga a improvisar. É verdade que os resultados são incríveis! Imagine que, quando minha última ampola de Novocaína acabou, arranquei o dente de um cliente e, para anestesiá-lo, tive de ler-lhe várias páginas de Theodore Dreiser! Conto com você.

Vincent.

Prezado Theo,

Decidi dividir o consultório com Gauguin. É um grande dentista, especializado em dentaduras postiças, e parece gostar de mim. Outro dia, cumprimentou-me efusivamente pelo meu trabalho no Sr. Jay Creenglass. Como você se recorda, obturei-lhe toda a arcada inferior, mas, quando acabei, reneguei minha própria concepção do trabalho e tentei remover todas as obturações. Creenglass recusou-se a passar de novo pela tortura e a coisa foi parar no tribunal, onde ele argumentou que, uma vez em sua boca, as obturações passavam a ser de sua propriedade. Mas meu advogado, inteligentemente, sustentou a tese de que os dentes me pertenciam, para que pudéssemos salvar pelo menos o cimento que empreguei. Ganhamos e, logo em seguida, alguém viu os cacos num canto do consultório e levou-os para uma exposição. E já estão falando até numa retrospectiva!

Vincent.

Prezado Theo,

Acho que foi um erro dividir o consultório com Gauguin. Trata-se de um homem muito perturbado. Bebe frascos e frascos de astringosol o dia inteiro! Quando o acusei de desperdiçar material, ficou furioso e arrancou meu diploma da parede. Quando se acalmou, convencia-o a trabalharmos ao ar livre, e assim fomos para o bosque com o material. Tudo ia bem, a princípio. Gauguin aplicou as coroas de jaqueta numa tal de Angela Tonnato e eu extraí sete ou oito caninos do Sr. Louis Kaufman. Como o trabalho rende quando se está cercado de verde! Você não imagina como é deslumbrante aquele exército de dentes brancos ao sol! De repente, começou uma ventania, que soprou a peruca do Sr. Kaufman para os arbustos.

Quando ele tentou recuperá-la, esbarrou nos instrumentos de Gauguin, jogando-os ao chão. Todos os molares e premolares da Srta. Angela, que Gauguin havia extraído para análise, se perderam. Gauguin culpou-me pelo que aconteceu e tentou me bater, mas atingiu o Sr. Kaufman por engano, fazendo-o cair sentado sobre a broca de alta velocidade. É claro que o Sr. Kaufman saiu furioso dali, levando a Srta. Angela com ele, e, assim, estamos sendo processados pelos conhecidos advogados Rifkin, Rifkin, Rifkin, Rifkin e Meltzer. Como estamos a zero, mande o que puder.

Vincent.

Prezado Theo,

Toulouse-Lautrec é o homem mais triste do mundo. Seu sonho é o de tornar-se um grande dentista, e talento é o que não lhe falta, mas é baixinho demais para chegar à boca de seus pacientes e muito orgulhoso para subir num banquinho. Insiste em trabalhar às cegas, com os braços esticados sobre a cabeça, e o resultado é que, ontem, aplicou coroas de jaqueta no queixo da Sra. Fitelson, e não em sua boca. Enquanto isto, meu velho amigo Monet recusa-se a trabalhar em bocas que não sejam enormes. E Seurat, cujo temperamento você conhece, promete revolucionar a estética dentária, extraindo todos os dentes de seus pacientes e implantando sisos em seu lugar. O trabalho fica sólido, mas pergunto-me se isto não extrapolará os limites da prótese.

Vincent.

Prezado Theo,

Estou apaixonado. Claire Memling esteve aqui na semana passada para uma profilaxia bucal. (Eu havia lhe mandado um cartão lembrando que já tinham se passado seis meses desde sua última consulta, embora na realidade fossem apenas quatro dias.) Theo, ela me deixa louco! Louco de desejo! E que mordida! Nunca vi ninguém morder assim! Sua articulação dentária é perfeita! Não é como a da Sra. Itkin, cuja arcada inferior tem quase cinco centímetros de protuberância em relação à superior, fazendo-a parecer a avó do lobisomem. Não! Os dentes de Claire encontram-se com harmonia absoluta e, quando isto acontece, você sabe que é uma prova da existência de Deus. E, no entanto, ela não é rigorosamente perfeita. Se fosse tão impecável, seria até desinteressante. Tem, por exemplo, uma falha nos incisivos, que lhe permite passar a língua e fazer ruídos deliciosos. Explicou-me que tudo começou com uma cárie na adolescência, a qual não chegou a ser obturada porque o dente caiu sozinho durante a aula de Geografia, quando ela tentava pronunciar a palavra "Tegucigalpa". E nunca foi substituído. "Nada, absolutamente nada poderia substituir aquele incisivo!" disse ela. "Não era apenas um dente, mas a razão da minha vida." Desde então, jurou a si mesma nunca mais falar daquele dente, e acho que só me contou a história porque confia em mim. Oh, Theo, estou apaixonado! Estava examinando sua boca ontem e parecia um estudante de Odontologia inexperiente, deixando cair o espelhinho pela sua garganta. Depois fui obrigado a enlaçá-la, para ensinar-lhe como escovar os dentes. A bobinha estava acostumada a segurar firme a escova e mover a cabeça para cima e para baixo! Semana que vem, pretendo anestesiá-la e pedir-lhe que se case comigo.

Vincent.

Prezado Theo,

Gauguin e eu brigamos de novo e ele partiu para o Taiti! Estava no meio de uma extração quando o perturbei. Admito que era um momento delicado, porque ele estava com o joelho sobre o peito do Sr. Nat Feldman e o boticão preso num molar. Quando a luta de sempre começou, cometi o erro de entrar sem bater e perguntar-lhe se tinha visto o chlorophenol. Ele se distraiu, o cliente desvencilhou-se e, invertendo as posições, sentou Gauguin na cadeira e extraiu-lhe todos os dentes da frente, partindo depois sem pagar. Gauguin ficou furibundo e enfiou minha cabeça sob a máquina de raios X durante dez minutos. É claro que, depois disso, fiquei horas sem poder piscar os dois olhos ao mesmo tempo. Agora estou sozinho no consultório.

Vincent.

Prezado Theo,

Tudo está perdido! Como hoje era o dia em que eu pensava pedir Claire em casamento, estava um pouco tenso. Ela chegou, linda como sempre, com seu vestido branco de organdi, chapéu de palha e gengivas recuadas. Tentei parecer romântico, diminuindo um pouco a luz e falando de assuntos poéticos. Anestesiei-a e deixei que ela me anestesiasse. Quando o momento parecia adequado, olhei-a bem nos olhos e disse: "Por favor, bocheche". E ela riu! Sim, Theo! Riu como uma louca e depois disse com voz cruel: "Acha que eu poderia bochechar por sua causa, seu idiota?". Então eu disse: "Mas você não compreende!". E ela foi implacável até o fim: "Como não compreendo? Eu jamais bochecharia com um dentista prático! Só me passo por ortodontistas diplomados. Adeus para sempre!". E saiu chorando. Theo! Quero morrer! Vi meu rosto no espelho e tive ganas de dar-lhe um soco! Espero que tudo esteja bem com você.

Vincent.

Prezado Theo,

Sim, é verdade. A orelha à venda no mercadinho é a minha. Acho que fiz uma besteira, mas eu queria mandar um presente de aniversário a Claire no sábado passado e todas as lojas estavam fechadas. Não sei por que ela a vendeu para o mercadinho. Ora, bolas. Talvez eu devesse ter ouvido o que papai dizia e me tornado pintor. Pode não ser tão emocionante, mas a vida seria mais estável.

Vincent.

Nada de Preces para Weinstein

Weinstein estava debaixo das cobertas, olhando para o teto num misto de torpor e depressão. Um vento úmido e cortante soprava lá fora, o barulho do tráfego era ensurdecedor àquela hora e, além disso, seu colchão estava pegando fogo. Vejam só, pensou. Cinquenta anos de idade. Meio século. No ano que vem, terei 51. Depois, 52. Por este mesmo raciocínio, ele podia calcular sua idade até pelos próximos cinco anos. Restava-lhe tão pouco tempo e tanto ainda para fazer. Por exemplo, um de seus sonhos era aprender a dirigir. Adelman, um amigo com quem ele jogara muita amarelinha, havia aprendido na Sorbonne. Tornara-se excelente motorista e já havia ido a muitos lugares com seu carro. Já Weinstein tentara várias vezes dar a partida no carro de seu pai, mas sempre acabava subindo na calçada.

Tinha sido uma criança precoce. Um intelectual. Aos doze anos, traduziu os poemas de T. S. Eliot para o inglês, depois que alguns vândalos penetraram na biblioteca e os traduziram para o francês. E, como se seu Q. I. já não o isolasse bastante, sofria injustiças e perseguições por causa de sua religião, principalmente vindas de seus pais. É verdade que tanto seu pai quanto sua mãe frequentavam a sinagoga, mas não conseguiam admitir a ideia de que o filho fosse judeu. "Como foi acontecer isto?", perguntava seu pai, indignado. Minha cara não mente, pensava Weinstein todo dia ao barbear-se. Tinha sido confundido várias vezes com Robert Redford, mas sempre por um cego. E havia também Feinglass, outro amigo de infância. Que carreira! Primeiro lugar na faculdade; depois, tornou-se espião industrial; em seguida, converteu-se ao marxismo e passou a ser agitador comunista; finalmente, traído pelo Partido, foi para Hollywood onde fez fortuna dublando um famoso rato de desenho animado. Irônico.

Weinstein também se envolvera com os comunistas. Para impressionar uma garota de sua rua, foi para Moscou e alistou-se no Exército Vermelho. Quando voltou, encontrou-a já comprometida com outro. Mesmo assim, seu posto de sargento na infantaria soviética iria prejudicá-lo anos depois, quando precisou de um atestado de bons antecedentes para tomar um aperitivo num restaurante de Longchamps. Além disso, quando ainda estava na universidade, comandou uma greve de ratinhos de laboratórios contra as más condições de trabalho. Na realidade, o que o atraía no marxismo era menos a política do que a poesia. Achava que a coletivização só daria certo se todos os operários usassem gravata-borboleta. "Quebrar os dentes do capitalismo decadente" foi uma frase que ele nunca esqueceu, desde que seu tio perdeu a própria dentadura num supermercado. Perguntava a si mesmo o que se pode aprender sobre a verdadeira essência da revolução social? Apenas que ela nunca deve ser tentada imediatamente após as refeições.

A Depressão arruinou seu tio Meyer, o qual guardava sua enorme fortuna debaixo do colchão. Quando houve o estouro da Bolsa, o governo requisitou todos os colchões e Meyer ficou pobre da noite para o dia. Só restava-lhe pular pela janela, mas, como lhe faltou coragem, ficou sentado na janela do Flatiron Building, de 1930 a 1937.

Tio Meyer gostava de dizer: "Três crianças com seus cãezinhos e seu sexo. Ninguém sabe o que é ficar sentado num peitoril de janela durante sete anos. Dali é que se vê a vida! Claro que as pessoas ficam do tamanho de formigas, e imagino de que tamanho não ficarão as formigas. Pobre Tessie, que descanse em paz, todo ano me levava um colarinho limpo. Oh, sobrinho, o que será do mundo quando eles tiverem uma bomba capaz de matar mais gente do que a cara da filha de Max Rifkin?".

Todos os amigos de Weinstein foram interrogados pela Comissão de Investigação de Atividades Antiamericanas. Blotnick foi dedurado por sua própria mãe. Sharpstein foi dedurado por sua própria telefonista. Aproveitaram e deduraram os outros. Weinstein foi chamado e admitiu ter feito uma doação em dinheiro para os russos durante a guerra. E ainda acrescentou: "Ah, sim, comprei também um faqueiro para Stalin". Recusou-se a: entregar pessoas, mas disse que, se McCarthy insistisse, poderia dizer a estatura e o peso das pessoas que ficara conhecendo nas reuniões. Ao fim e ao cabo, entrou em pânico e, em vez de invocar a 5ª emenda, que lhe garantia o direito de não responder a nada que o comprometesse, invocou a 3ª emenda, que lhe garantia apenas o direito de beber cerveja aos domingos em Filadélfia.

Weinstein finalmente acabou de barbear-se e entrou no chuveiro. Ensaboou-se e, enquanto a água fervendo corria pelas suas costas, pensou, "Aqui estou eu, tomando banho, em algum ponto do tempo e do espaço. Eu, Isaac Weinstein, uma das criaturas de Deus". E então, pisando no sabonete, deslizou pelo banheiro e foi de cabeça contra a parede. Que semana aquela! Na véspera, seu barbeiro cortara-lhe pessimamente o cabelo e ainda não tinha conseguido vencer a depressão que aquilo lhe causara. A princípio, o barbeiro estava indo bem, tosando-o judiciosamente, mas depois começou a cortar onde lhe desse na telha. Quando notou que ele tinha ido longe demais, Weinstein gritou: "Ponha meu cabelo de volta!".

"Não posso", respondeu o barbeiro. "Não vai ficar seguro!"

"Então me dê essas mechas, de qualquer jeito. Vou levá-las para casa!"

"Depois que caem no chão de minha barbearia, passam a me pertencer, Sr. Weinstein."

"Isso é o que você pensa. Quero meu cabelo!"

Weinstein falou e espumou, mas, finalmente, sentiu-se culpado e desistiu. Esses goyim, pensou. De um jeito ou de outro, acabam levando a melhor.

Saiu do hotel e caminhou pela 8ª Avenida. Dois homens assaltavam uma velhinha. Puxa vida, pensou Weinstein, já foi o tempo em que um homem só dava conta do recado. Que cidade! Caos em toda parte. Kant tinha razão: É a mente que impõe a ordem. E também nos ordena quanto dar de gorjeta. Que maravilha ser consciente. Não sei como os finlandeses se arranjam!

Weinstein ia à casa de Harriet para discutir o problema da pensão. Ainda a amava, embora, quando eram casados, ela tenha tentado sistematicamente cometer adultério com todas as pessoas cujos nomes começassem com R na lista telefônica de Nova Iorque. Perdoou-a por isto. Mas devia ter desconfiado quando seu melhor amigo e Harriet montaram casa juntos em outra cidade durante três anos, sem lhe dizerem onde estavam. Ele *não queria* enxergar – era este o problema. Sua vida sexual com Harriet terminara cedo. As únicas vezes em que trepou com ela foram na noite em que se conheceram, na noite em que o homem desceu na lua e mais uma única vez, mas apenas para testar se já tinha ficado bom de uma hérnia de disco. “Não adianta, Harriet”, queixava-se Weinstein. “Você é pura demais. Toda vez que tenho ânsias de te comer, sublimo o desejo plantando uma árvore em Israel. Você me recorda minha mãe.” (Referia-se a Molly Weinstein, que matou-se por ele de tanto trabalhar, fazendo o melhor pastelão de Chicago – uma receita secreta, até descobrirem que ela temperava o recheio com haxixe.)

Quando se tratava de sexo, Weinstein precisava de alguém que fosse bem diferente. Como Lu Anne, que fazia do sexo uma arte. Seu único problema é que não conseguia contar até vinte sem tirar os sapatos. Weinstein presenteou-a certa vez com um livro sobre existencialismo, mas ela o devorou, em vez de lê-lo. Sexualmente, Weinstein nunca se sentiu muito realizado. Em primeiro lugar, porque era baixinho. Calçado de meias, tinha apenas 1,60m, embora com as meias dos outros pudesse chegar a 1,62m. Seu analista, o Dr. Klein, convenceu-o de que se jogar debaixo de um trem seria mais um ato de compensação do que uma tentativa de suicídio, mas que, de qualquer maneira, arruinaria o vinco de suas calças. Klein foi seu terceiro analista. O primeiro foi um junguiano que sugeriu-lhe tentar o espiritismo. Depois disto, tentou fazer grupo, mas, quando chegava a sua vez de falar, ficava zonzo e só conseguia recitar os nomes dos planetas. Seu problema era com as mulheres, e ele sabia disto. Era impotente com qualquer mulher que se tivesse formado com média superior a 55. Sentia-se mais à vontade com recém-diplomadas em datilografia, embora entrasse em pânico se a mulher batesse mais de 60 palavras por minuto.

Weinstein tocou a campainha do apartamento de Harriet e ela mesma abriu a porta. Como sempre, gorda como uma girafa, pensou Weinstein. Era uma brincadeira entre eles, que nenhum dos dois entendia.

"Bom dia, Harriet."

"Oi, cara", ela respondeu. "Que diabo, por que tem de ser tão formal?"

Ela tinha razão. Que bobagem ter dito aquilo. Odiou-se por isto.

"Como vão nossos filhos, Harriet?"

"Nunca tivemos filhos!"

"Foi por isto que achei demais quatrocentos dólares por semana para a educação dos filhos."

Ela mordeu o lábio. Weinstein também mordeu o lábio. Depois, Weinstein mordeu o lábio dela. "Harriet, estou falido. É difícil vender ovos de Páscoa fora da estação."

"Não pode tomar dinheiro de sua *shiksa?"*

"Para você, toda mulher que não seja judia é *uma shiksa."*

"Vamos esquecer isto?" Sua voz estava tingida de recriminação. Weinstein teve uma súbita vontade de beijar-la. Se não ela, qualquer uma.

"Harriet, onde foi que erramos?"

"Nunca encaramos a realidade."

"Não foi minha culpa. Você disse que ela ficava ao norte."

"A realidade é o norte, Ike."

"Não, Harriet. Os sonhos vazios é que ficam ao norte. A realidade fica a oeste. As falsas esperanças ficam a leste e acho que o México fica ao sul."

Ela ainda tinha a capacidade de excitá-lo. Tentou agarrá-la, mas ela se esquivou e ele enfiou a mão na terrina de sopa.

"Foi por isto que você trepou com seu analista?", ele explodiu finalmente. Seu rosto estava convulsionado de ódio. Teve vontade de desmaiar, mas controlou-se, porque não se lembrava de como cair sem machucar-se.

"Aquilo fazia parte do tratamento", respondeu friamente Harriet. "Segundo Freud, o sexo é a estrada que leva ao inconsciente."

"Freud disse que os sonhos é que eram a estrada para o inconsciente!"

"Sexo, sonhos – vamos brigar por causa dessas ninharias?"

"Adeus, Harriet."

Era inútil. *Rien à dire, rien à faire*. Weinstein saiu e caminhou pela Union Square. De repente, as lágrimas correram-lhe pelo rosto, como saídas de um dique que se rompia. Lágrimas mornas e salgadas, represadas durante anos, libertaram-se num incontido acesso de emoção. O problema é que elas lhe saíam pelas orelhas. Vejam só, pensou Weinstein, nem chorar direito consigo. Secou suas orelhas com um cotonete e foi para casa.

Os Bons Tempos: uma Memória Oral

O que segue são excertos das memórias de Flo Guiness, sem dúvida a mais pitoresca de todas as proprietárias de speakeasies durante a Lei Seca. Big Flo, como seus amigos a chamavam (seus inimigos também a chamavam assim, geralmente por conveniência), emerge destas entrevistas gravadas como uma mulher com um luxuriante apetite pela vida, assim como uma artista frustrada que teve de abandonar sua ambição de tornar-se violinista clássica, porque descobriu que, para isso, teria de estudar violino. Aqui, pela primeira vez, Big Flo fala por si mesma, enquanto o livro não sai.

Comecei a dançar no Jewel Club de Chicago, de propriedade de Ned Small. Ned era um sujeito esperto que fez enorme fortuna pelo processo que hoje chamamos de "roubar". Claro que, naquele tempo, era muito diferente. Sim, senhor, Ned tinha *charme* – o tipo de *charme* que não se vê hoje em dia. Era famoso por quebrar ambas as pernas de quem discordasse dele. E era um craque nisto, podem crer. Eu diria que quebrava uma média de quinze ou dezesseis por semana. Mas Ned era legal comigo, talvez porque eu tenha sempre dito na cara o que achava dele. Certa vez, enquanto jantávamos, eu lhe disse: "Ned, você não passa de um velhaco soez, com a moral de um gato de rua!". Ele riu, mas, naquela mesma noite, vi-o procurando a palavra "soez" no dicionário. Enfim, como eu disse, comecei a vida dançando no Jewel Club de Ned Small. Eu era a melhor dançarina, é claro – uma *atriz*-dançarina. As outras garotas apenas sapateavam um pouco, mas eu interpretava uma história dançando. Vênus saindo do banho, já pensaram? Só mesmo na Broadway com rua 42. E lá vai ela, pelas boates da vida, dançando até de manhã, até que começa a sofrer das coronárias e perde o controle dos músculos faciais do lado esquerdo. É triste, rapazes. É por isso que me respeitavam.

Um dia, Ned Small chamou-me a seu escritório e disse: "Flo". (Ele sempre me chamava de Flo, exceto quando ficava com raiva de mim. Nesse caso, me chamava de Albert Schneiderman – nunca descobri por quê. Digamos que o coração tem razões que a própria razão, vocês sabem.) Bem, aí Ned disse: "Flo, quero que você se case comigo". Puxa, foi como se jogassem um saco de penas na minha cabeça, porque comecei a chorar como um bezerro. "Não estou brincando, Flo. Eu a amo profundamente. Não é fácil para mim dizer essas coisas, mas quero que você seja a mãe dos meus filhos. Porque, se você não quiser, quebro suas pernas aqui mesmo." Dois dias depois, Ned Small e eu nos amarramos perante um juiz até que a morte nos separasse. No dia seguinte, Ned foi metralhado por uma quadrilha a mando de Al Capone, que o acusou de ter derramado passas em seu chapéu.

Com isto, naturalmente, fiquei rica. A primeira coisa que fiz foi comprar a fazenda com que papai e mamãe sempre sonharam. Eles protestaram, dizendo que nunca tinham sonhado com fazenda nenhuma e que preferiam um carro e alguns casacos de peles, mas resolveram tentar.

Acabaram gostando da vida rural, embora papai fosse fulminado por um raio e passasse seis anos pensando que era um dos Sobrinhos do Capitão. Quanto a mim, três meses depois estava falida. Maus investimentos. Financiei uma pesca à baleia em Cincinnati, a conselho de amigos.

Fui dançar no clube de Big Ed Wheeler, que fabricava uma pinga tão forte que só podia ser tomada através de uma máscara contra gases. Ed me pagava trezentos dólares por semana para fazer dez *shows*, o que naquele tempo era bom dinheiro. Que diabo, com as gorjetas eu ganhava mais do que o Presidente Hoover! E ele tinha de trabalhar pelo menos nuns doze *shows*. Eu pegava às 9 horas, e ele, às 10. Hoover era um bom presidente, mas vivia resmungando em seu camarim. Isso me deixava maluca. Então um dia o dono do Apex Club viu meu número e me ofereceu quinhentos dólares por semana para dançar lá. Fui falar com Big Ed: "Ed, recebi uma oferta de quinhentos dólares por semana, de Bill Hallorhan, do Apex Club".

"Flo", ele respondeu, "se você pode descolar quinhentos mangos por semana, não sou eu que vou ficar no seu caminho." Apertamos as mãos e fui dar a boa notícia a Bill Hallorhan, mas vários amigos de Big Ed chegaram lá primeiro, e quando vi Bill Hallorhan, sua aparência física tinha mudado tanto que agora ele não passava de uma voz fraquinha que saía de dentro de uma caixa de charutos. Disse que tinha decidido mudar de ramo, sair de Chicago e abrir uma mercearia em qualquer lugar mais perto do equador. Continuei dançando para Big Ed Wheeler até que a turma de Capone comprou a sua parte no clube. Eu disse "comprou a sua parte", mas a verdade é que Scarface Al ofereceu-lhe um caminhão de dinheiro e Big Ed recusou. Naquele mesmo dia, Big Ed estava jantando no Rib e Chop House quando sua cabeça incendiou-se. Ninguém soube por quê.

Comprei o Three Deuces com o dinheiro que havia economizado e não demorou muito a ser o lugar mais quente da cidade. Todo mundo ia lá – Babe Ruth, Jacke Dempsey, Al Jolson e até Man o'War, o maior cavalo da época. Puxa, como aquele cavalo bebia! Lembro-me que Babe Ruth estava taradão por uma corista chamada Kelly Swain. Ficou tão fissurado que não conseguia mais concentrar-se em beisebol. Um dia entrou em campo com o corpo todo besuntado de graxa, achando-se um nadador, que ia cruzar o Canal da Mancha. "Flo", disse-me Babe Ruth, "estou doido por esta ruiva, Kelly Swain. Mas ela detesta esporte! Menti-lhe, dizendo que sou professor de Matemática em Washington, mas acho que ela suspeita de alguma coisa." "Pode viver sem ela, Babe?"

"Não, Flo. E está afetando minha concentração. Ontem acertei a cabeça de um colega com o taco, na hora de rebater. Como quebrei-lhe o nariz, terá de respirar agora por um canudinho. Pode me ajudar?"

Prometi-lhe que iria falar com Kelly e, no dia seguinte, dei um pulinho ao Golden Abattoir, onde ela estava dançando. Eu disse: "Kelly, o carcamano está doidinho por você. Ele sabe que você só gosta de homens cultos e jurou que, se você estiver a fim dele, vai abandonar o beisebol e estudar balé clássico com Martha Graham".

Kelly olhou-me bem no olho e respondeu: "Diga àquele lorpa que não saí lá de Chippewa Falls para perder tempo com um sujeito que se gaba de ter músculos de aço, inclusive, os do cérebro. Tenho grandes planos!". Dois anos depois, Kelly casou-se com Lord Osgood Tuttle e tornou-se Lady Tuttle. Seu marido abandonou uma embaixada para tornar-se beque central dos Tigers. Lembram-se de Jumpin'Joe Tuttle?

Jogo? Eu estava lá quando Nick the Greek fez o nome! Havia um jogadorzinho barato chamado Jake the Creek, e Nick me chamou e disse: "Flo, eu gostaria de ser The Greek". Aí eu respondi: "Acho que não pé, Nick. Você nem é grego. Além disso, o jogo é proibido pelas leis de Nova Iorque". Aí ele disse: "Eu sei, Flo, mas meus pais sempre quiseram que eu fosse The Greek. Pode transar um almoço entre eu e Jake?". E eu disse: "Claro, mas, se ele souber por quê, não vai aparecer". Aí Nick disse que eu deixasse com ele e que ele me agradeceria para sempre.

Assim, os dois se encontraram no Grill Room do Monty's Steak House, um restaurante que não admitia a entrada de mulheres, mas pude ir porque Monty era um grande amigo meu e não me via como homem ou mulher, mas, em suas próprias palavras, como um "protoplasma indefinido". Pedimos a especialidade da casa, costeletas, que Monty tinha um jeito de preparar para que ficassem com gosto de dedos humanos. Finalmente, Nick disse: "Jake, gostaria de ser chamado Nick the Greek". Aí Jake ficou pálido e respondeu: "Olhe, Nick, se foi para isto que me trouxe aqui...". Aí a coisa esquentou e os dois quase saíram no tapa. Então, Nick disse: "Vamos fazer o seguinte. Resolver nas cartas. Quem tirar a maior, fica sendo The Greek".

"Mas, e se eu ganhar? Eu *já sou J*ake the Greek!"

"Se você ganhar, Jake, tem direito a folhear um catálogo telefônico e escolher o nome com o qual deseja ser enterrado."

"Sem sacanagem?"

"Flo é testemunha."

Bem, vocês podem imaginar a tensão no restaurante. Trouxeram um baralho e eles cortaram. Nick tirou uma dama. A mão de Jake estava tremendo. E aí Jake tirou um ás! Todo mundo aplaudiu, e Jake foi ao catálogo telefônico e escolheu o nome Grover Lembeck. Todo mundo saiu feliz e, a partir daquele dia, as mulheres voltaram a ter a entrada permitida no Monty's, desde que soubessem ler hieróglifos.

Lembro-me que havia uma grande revista musical no Winter Garden, *Verme Cheio de Estrelas,* estrelada por Al Jolson, mas ele abandonou o espetáculo porque queriam obrigá-lo a cantar uma canção chamada *Quibe para Dois,* a qual detestava por não gostar de comida libanesa. Bem, seja como for, em seu lugar entrou um jovem desconhecido, chamado Felix Brompton, que foi preso mais tarde por ter sido flagrado num hotel com uma boneca Betty Boop. Saiu até nos jornais. O fato é que Jolson entrou certa noite no Three Deuces com Eddie Cantor e me perguntou: "Flo, ouvi dizer que George Raft dançou aqui semana passada". Eu respondi: "George nunca veio aqui". E ele insistiu: "Se você o deixou dançar, gostaria de cantar". E eu disse: "Al, ele nunca veio aqui!". E Al perguntou: "Foi acompanhado por piano ou orquestra?". Tive de ser dura: "Al, se você cantar uma simples nota, vou ter de expulsá-lo". Não adiantou, porque Jolie ajoelhou-se num pé, como fazia sempre, e mandou brasa com *Toot-Toot Tootsie.* Enquanto ele cantava, vendi a espelunca e, quando acabou a canção, o clube já havia se transformado na Tinturaria Wing Ho Hand. Jolson nunca se recuperou do choque nem me perdoou por isto. Na saída, ainda tropeçou numa pilha de cuecas.

Coleção **L&PM** POCKET (LANÇAMENTOS MAIS RECENTES)

441.**O melhor de Hagar 3** – Dik Browne
442.**Os Maias (volume1)** – Eça de Queiroz
443.**Os Maias (volume2)** – Eça de Queiroz
444.**Anti-Justine** – Restif de La Bretonne
445.**Juventude** – Joseph Conrad
446.**Contos** – Eça de Queiroz
447.**Janela para a morte** – Raymond Chandler
448.**Um amor de Swann** – Marcel Proust
449.**À paz perpétua** – Immanuel Kant
450.**A conquista do México** – Hernan Cortez
451.**Defeitos escolhidos e 2000** – Pablo Neruda
452.**O casamento do céu e do inferno** – William Blake
453.**A primeira viagem ao redor do mundo** – Antonio Pigafetta
454(14).**Uma sombra na janela** – Simenon
455(15).**A noite da encruzilhada** – Simenon
456(16).**A velha senhora** – Simenon
457.**Sartre** – Annie Cohen-Solal
458.**Discurso do método** – René Descartes
459.**Garfield em grande forma (1)** – Jim Davis
460.**Garfield está de dieta** (2) – Jim Davis
461.**O livro das feras** – Patricia Highsmith
462.**Viajante solitário** – Jack Kerouac
463.**Auto da barca do inferno** – Gil Vicente
464.**O livro vermelho dos pensamentos de Millôr** – Millôr Fernandes
465.**O livro dos abraços** – Eduardo Galeano
466.**Voltaremos!** – José Antonio Pinheiro Machado
467.**Rango** – Edgar Vasques
468(8).**Dieta mediterrânea** – Dr. Fernando Lucchese e José Antonio Pinheiro Machado
469.**Radicci 5** – Iotti
470.**Pequenos pássaros** – Anaïs Nin
471.**Guia prático do Português correto – vol.3** – Cláudio Moreno
472.**Atire no pianista** – David Goodis
473.**Antologia Poética** – García Lorca
474.**Alexandre e César** – Plutarco
475.**Uma espiã na casa do amor** – Anaïs Nin
476.**A gorda do Tiki Bar** – Dalton Trevisan
477.**Garfield um gato de peso (3)** – Jim Davis
478.**Canibais** – David Coimbra
479.**A arte de escrever** – Arthur Schopenhauer
480.**Pinóquio** – Carlo Collodi
481.**Misto-quente** – Bukowski
482.**A lua na sarjeta** – David Goodis
483.**O melhor do Recruta Zero (1)** – Mort Walker
484.**Aline: TPM – tensão pré-monstrual (2)** – Adão Iturrusgarai
485.**Sermões do Padre Antonio Vieira**
486.**Garfield numa boa (4)** – Jim Davis
487.**Mensagem** – Fernando Pessoa
488.**Vendeta** *seguido de* **A paz conjugal** – Balzac
489.**Poemas de Alberto Caeiro** – Fernando Pessoa
490.**Ferragus** – Honoré de Balzac
491.**A duquesa de Langeais** – Honoré de Balzac
492.**A menina dos olhos de ouro** – Honoré de Balzac
493.**O lírio do vale** – Honoré de Balzac
494(17).**A barcaça da morte** – Simenon
495(18).**As testemunhas rebeldes** – Simenon
496(19).**Um engano de Maigret** – Simenon
497(1).**A noite das bruxas** – Agatha Christie
498(2).**Um passe de mágica** – Agatha Christie
499(3).**Nêmesis** – Agatha Christie
500.**Esboço para uma teoria das emoções** – Sartre
501.**Renda básica de cidadania** – Eduardo Suplicy
502(1).**Pílulas para viver melhor** – Dr. Lucchese
503(2).**Pílulas para prolongar a juventude** – Dr. Lucchese
504(3).**Desembarcando o diabetes** – Dr. Lucchese
505(4).**Desembarcando o sedentarismo** – Dr. Fernando Lucchese e Cláudio Castro
506(5).**Desembarcando a hipertensão** – Dr. Lucchese
507(6).**Desembarcando o colesterol** – Dr. Fernando Lucchese e Fernanda Lucchese
508.**Estudos de mulher** – Balzac
509.**O terceiro tira** – Flann O'Brien
510.**100 receitas de aves e ovos** – J. A. P. Machado
511.**Garfield em toneladas de diversão** (5) – Jim Davis
512.**Trem-bala** – Martha Medeiros
513.**Os cães ladram** – Truman Capote
514.**O Kama Sutra de Vatsyayana**
515.**O crime do Padre Amaro** – Eça de Queiroz
516.**Odes de Ricardo Reis** – Fernando Pessoa
517.**O inverno da nossa desesperança** – Steinbeck
518.**Piratas do Tietê (1)** – Laerte
519.**Rê Bordosa: do começo ao fim** – Angeli
520.**O Harlem é escuro** – Chester Himes
521.**Café-da-manhã dos campeões** – Kurt Vonnegut
522.**Eugénie Grandet** – Balzac
523.**O último magnata** – F. Scott Fitzgerald
524.**Carol** – Patricia Highsmith
525.**100 receitas de patisseria** – Sílvio Lancellotti
526.**O fator humano** – Graham Greene
527.**Tristessa** – Jack Kerouac
528.**O diamante do tamanho do Ritz** – Scott Fitzgerald
529.**As melhores histórias de Sherlock Holmes** – Arthur Conan Doyle
530.**Cartas a um jovem poeta** – Rilke
531(20).**Memórias de Maigret** – Simenon
532(4).**O misterioso sr. Quin** – Agatha Christie
533.**Os analectos** – Confúcio
534(21).**Maigret e os homens de bem** – Simenon
535(22).**O medo de Maigret** – Simenon
536.**Ascensão e queda de César Birotteau** – Balzac
537.**Sexta-feira negra** – David Goodis
538.**Ora bolas – O humor de Mario Quintana** – Juarez Fonseca
539.**Longe daqui aqui mesmo** – Antonio Bivar
540(5).**É fácil matar** – Agatha Christie
541.**O pai Goriot** – Balzac
542.**Brasil, um país do futuro** – Stefan Zweig
543.**O processo** – Kafka
544.**O melhor de Hagar 4** – Dik Browne
545(6).**Por que não pediram a Evans?** – Agatha Christie

546.**Fanny Hill** – John Cleland
547.**O gato por dentro** – William S. Burroughs
548.**Sobre a brevidade da vida** – Sêneca
549.**Geraldão (1)** – Glauco
550.**Piratas do Tietê (2)** – Laerte
551.**Pagando o pato** – Ciça
552.**Garfield de bom humor (6)** – Jim Davis
553.**Conhece o Mário?** vol.1 – Santiago
554.**Radicci 6** – Iotti
555.**Os subterrâneos** – Jack Kerouac
556(1).**Balzac** – François Taillandier
557(2).**Modigliani** – Christian Parisot
558(3).**Kafka** – Gérard-Georges Lemaire
559(4).**Júlio César** – Joël Schmidt
560.**Receitas da família** – J. A. Pinheiro Machado
561.**Boas maneiras à mesa** – Celia Ribeiro
562(9).**Filhos sadios, pais felizes** – R. Pagnoncelli
563(10).**Fatos & mitos** – Dr. Fernando Lucchese
564.**Ménage à trois** – Paula Taitelbaum
565.**Mulheres!** – David Coimbra
566.**Poemas de Álvaro de Campos** – Fernando Pessoa
567.**Medo e outras histórias** – Stefan Zweig
568.**Snoopy e sua turma (1)** – Schulz
569.**Piadas para sempre (1)** – Visconde da Casa Verde
570.**O alvo móvel** – Ross Macdonald
571.**O melhor do Recruta Zero (2)** – Mort Walker
572.**Um sonho americano** – Norman Mailer
573.**Os broncos também amam** – Angeli
574.**Crônica de um amor louco** – Bukowski
575(5).**Freud** – René Major e Chantal Talagrand
576(6).**Picasso** – Gilles Plazy
577(7).**Gandhi** – Christine Jordis
578.**A tumba** – H. P. Lovecraft
579.**O príncipe e o mendigo** – Mark Twain
580.**Garfield, um charme de gato (7)** – Jim Davis
581.**Ilusões perdidas** – Balzac
582.**Esplendores e misérias das cortesãs** – Balzac
583.**Walter Ego** – Angeli
584.**Striptiras (1)** – Laerte
585.**Fagundes: um puxa-saco de mão cheia** – Laerte
586.**Depois do último trem** – Josué Guimarães
587.**Ricardo III** – Shakespeare
588.**Dona Anja** – Josué Guimarães
589.**24 horas na vida de uma mulher** – Stefan Zweig
590.**O terceiro homem** – Graham Greene
591.**Mulher no escuro** – Dashiell Hammett
592.**No que acredito** – Bertrand Russell
593.**Odisséia (1): Telemaquia** – Homero
594.**O cavalo cego** – Josué Guimarães
595.**Henrique V** – Shakespeare
596.**Fabulário geral do delírio cotidiano** – Bukowski
597.**Tiros na noite 1: A mulher do bandido** – Dashiell Hammett
598.**Snoopy em Feliz Dia dos Namorados! (2)** – Schulz
599.**Mas não se matam cavalos?** – Horace McCoy
600.**Crime e castigo** – Dostoiévski
601(7).**Mistério no Caribe** – Agatha Christie
602.**Odisséia (2): Regresso** – Homero
603.**Piadas para sempre (2)** – Visconde da Casa Verde
604.**À sombra do vulcão** – Malcolm Lowry
605(8).**Kerouac** – Yves Buin
606.**E agora são cinzas** – Angeli
607.**As mil e uma noites** – Paulo Caruso
608.**Um assassino entre nós** – Ruth Rendell
609.**Crack-up** – F. Scott Fitzgerald
610.**Do amor** – Stendhal
611.**Cartas do Yage** – William Burroughs e Allen Ginsberg
612.**Striptiras (2)** – Laerte
613.**Henry & June** – Anaïs Nin
614.**A piscina mortal** – Ross Macdonald
615.**Geraldão (2)** – Glauco
616.**Tempo de delicadeza** – A. R. de Sant'Anna
617.**Tiros na noite 2: Medo de tiro** – Dashiel Hammett
618.**Snoopy em Assim é a vida, Charlie Brown (3)** – Schulz
619.**1954 – Um tiro no coração** – Hélio Silva
620.**Sobre a inspiração poética (Íon)** e ... – Platão
621.**Garfield e seus amigos (8)** – Jim Davis
622.**Odisséia (3): Ítaca** – Homero
623.**A louca matança** – Chester Himes
624.**Factótum** – Bukowski
625.**Guerra e Paz: volume 1** – Tolstói
626.**Guerra e Paz: volume 2** – Tolstói
627.**Guerra e Paz: volume 3** – Tolstói
628.**Guerra e Paz: volume 4** – Tolstói
629(9).**Shakespeare** – Claude Mourthé
630.**Bem está o que bem acaba** – Shakespeare
631.**O contrato social** – Rousseau
632.**Geração Beat** – Jack Kerouac
633.**Snoopy: É Natal! (4)** – Charles Schulz
634(8).**Testemunha da acusação** – Agatha Christie
635.**Um elefante no caos** – Millôr Fernandes
636.**Guia de leitura (100 autores que você precis[a] ler)** – Organização de Léa Masina
637.**Pistoleiros também mandam flores** – Davi[d] Coimbra
638.**O prazer das palavras** – vol. 1 – Cláudio Moren[o]
639.**O prazer das palavras** – vol. 2 – Cláudio Moren[o]
640.**Novíssimo testamento: com Deus e o diabo, [a] dupla da criação** – Iotti
641.**Literatura Brasileira: modos de usar** – Lu[ís] Augusto Fischer
642.**Dicionário de Porto-Alegrês** – Luís A. Fische[r]
643.**Clô Dias & Noites** – Sérgio Jockymann
644.**Memorial de Isla Negra** – Pablo Neruda
645.**Um homem extraordinário e outras histórias** – Tchékhov
646.**Ana sem terra** – Alcy Cheuiche
647.**Adultérios** – Woody Allen
648.**Para sempre ou nunca mais** – R. Chandler
649.**Nosso homem em Havana** – Graham Greene
650.**Dicionário Caldas Aulete de Bolso**
651.**Snoopy: Posso fazer uma pergunta, pro-fessora? (5)** – Charles Schulz
652(10).**Luís XVI** – Bernard Vincent
653.**O mercador de Veneza** – Shakespeare
654.**Cancioneiro** – Fernando Pessoa
655.**Non-Stop** – Martha Medeiros

656.**Carpinteiros, levantem bem alto a cumeeira & Seymour, uma apresentação** – J.D.Salinger
657.**Ensaios céticos** – Bertrand Russell
658.**O melhor de Hagar 5** – Dik e Chris Browne
659.**Primeiro amor** – Ivan Turguêniev
660.**A trégua** – Mario Benedetti
661.**Um parque de diversões da cabeça** – Lawrence Ferlinghetti
662.**Aprendendo a viver** – Sêneca
663.**Garfield, um gato em apuros (9)** – Jim Davis
664.**Dilbert 1** – Scott Adams
665.**Dicionário de dificuldades** – Domingos Paschoal Cegalla
666.**A imaginação** – Jean-Paul Sartre
667.**O ladrão e os cães** – Naguib Mahfuz
668.**Gramática do português contemporâneo** – Celso Cunha
669.**A volta do parafuso** *seguido de* **Daisy Miller** – Henry James
670.**Notas do subsolo** – Dostoiévski
671.**Abobrinhas da Brasilônia** – Glauco
672.**Geraldão (3)** – Glauco
673.**Piadas para sempre (3)** – Visconde da Casa Verde
674.**Duas viagens ao Brasil** – Hans Staden
675.**Bandeira de bolso** – Manuel Bandeira
676.**A arte da guerra** – Maquiavel
677.**Além do bem e do mal** – Nietzsche
678.**O coronel Chabert** *seguido de* **A mulher abandonada** – Balzac
679.**O sorriso de marfim** – Ross Macdonald
680.**100 receitas de pescados** – Sílvio Lancellotti
681.**O juiz e seu carrasco** – Friedrich Dürrenmatt
682.**Noites brancas** – Dostoiévski
683.**Quadras ao gosto popular** – Fernando Pessoa
684.**Romanceiro da Inconfidência** – Cecília Meireles
685.**Kaos** – Millôr Fernandes
686.**A pele de onagro** – Balzac
687.**As ligações perigosas** – Choderlos de Laclos
688.**Dicionário de matemática** – Luiz Fernandes Cardoso
689.**Os Lusíadas** – Luís Vaz de Camões
690(11).**Átila** – Éric Deschodt
691.**Um jeito tranqüilo de matar** – Chester Himes
692.**A felicidade conjugal** *seguido de* **O diabo** – Tolstói
693.**Viagem de um naturalista ao redor do mundo** – vol. 1 – Charles Darwin
694.**Viagem de um naturalista ao redor do mundo** – vol. 2 – Charles Darwin
695.**Memórias da casa dos mortos** – Dostoiévski
696.**A Celestina** – Fernando de Rojas
697.**Snoopy: Como você é azarado, Charlie Brown! (6)** – Charles Schulz
698.**Dez (quase) amores** – Claudia Tajes
699(9).**Poirot sempre espera** – Agatha Christie
700.**Cecília de bolso** – Cecília Meireles
701.**Apologia de Sócrates** *precedido de* **Êutifron** e *seguido de* **Críton** – Platão
702.**Wood & Stock** – Angeli
703.**Striptiras (3)** – Laerte
704.**Discurso sobre a origem e os fundamentos da desigualdade entre os homens** – Rousseau
705.**Os duelistas** – Joseph Conrad
706.**Dilbert (2)** – Scott Adams
707.**Viver e escrever** (vol. 1) – Edla van Steen
708.**Viver e escrever** (vol. 2) – Edla van Steen
709.**Viver e escrever** (vol. 3) – Edla van Steen
710(10).**A teia da aranha** – Agatha Christie
711.**O banquete** – Platão
712.**Os belos e malditos** – F. Scott Fitzgerald
713.**Libelo contra a arte moderna** – Salvador Dalí
714.**Akropolis** – Valerio Massimo Manfredi
715.**Devoradores de mortos** – Michael Crichton
716.**Sob o sol da Toscana** – Frances Mayes
717.**Batom na cueca** – Nani
718.**Vida dura** – Claudia Tajes
719.**Carne trêmula** – Ruth Rendell
720.**Cris, a fera** – David Coimbra
721.**O anticristo** – Nietzsche
722.**Como um romance** – Daniel Pennac
723.**Emboscada no Forte Bragg** – Tom Wolfe
724.**Assédio sexual** – Michael Crichton
725.**O espírito do Zen** – Alan W.Watts
726.**Um bonde chamado desejo** – Tennessee Williams
727.**Como gostais** *seguido de* **Conto de inverno** – Shakespeare
728.**Tratado sobre a tolerância** – Voltaire
729.**Snoopy: Doces ou travessuras? (7)** – Charles Schulz
730.**Cardápios do Anonymus Gourmet** – J.A. Pinheiro Machado
731.**100 receitas com lata** – J.A. Pinheiro Machado
732.**Conhece o Mário?** vol.2 – Santiago
733.**Dilbert (3)** – Scott Adams
734.**História de um louco amor** *seguido de* **Passado amor** – Horacio Quiroga
735(11).**Sexo: muito prazer** – Laura Meyer da Silva
736(12).**Para entender o adolescente** – Dr. Ronald Pagnoncelli
737(13).**Desembarcando a tristeza** – Dr. Fernando Lucchese
738.**Poirot e o mistério da arca espanhola & outras histórias** – Agatha Christie
739.**A última legião** – Valerio Massimo Manfredi
740.**As virgens suicidas** – Jeffrey Eugenides
741.**Sol nascente** – Michael Crichton
742.**Duzentos ladrões** – Dalton Trevisan
743.**Os devaneios do caminhante solitário** – Rousseau
744.**Garfield, o rei da preguiça (10)** – Jim Davis
745.**Os magnatas** – Charles R. Morris
746.**Pulp** – Charles Bukowski
747.**Enquanto agonizo** – William Faulkner
748.**Aline: viciada em sexo (3)** – Adão Iturrusgarai
749.**A dama do cachorrinho** – Anton Tchékhov
750.**Tito Andrônico** – Shakespeare
751.**Antologia poética** – Anna Akhmátova
752.**O melhor de Hagar 6** – Dik e Chris Browne
753(12).**Michelangelo** – Nadine Sautel
754.**Dilbert (4)** – Scott Adams
755.**O jardim das cerejeiras** *seguido de* **Tio Vânia** – Tchékhov
756.**Geração Beat** – Claudio Willer
757.**Santos Dumont** – Alcy Cheuiche
758.**Budismo** – Claude B. Levenson

759.**Cleópatra** – Christian-Georges Schwentzel
760.**Revolução Francesa** – Frédéric Bluche, Stéphane Rials e Jean Tulard
761.**A crise de 1929** – Bernard Gazier
762.**Sigmund Freud** – Edson Sousa e Paulo Endo
763.**Império Romano** – Patrick Le Roux
764.**Cruzadas** – Cécile Morrisson
765.**O mistério do Trem Azul** – Agatha Christie
766.**Os escrúpulos de Maigret** – Simenon
767.**Maigret se diverte** – Simenon
768.**Senso comum** – Thomas Paine
769.**O parque dos dinossauros** – Michael Crichton
770.**Trilogia da paixão** – Goethe
771.**A simples arte de matar** (vol.1) – R. Chandler
772.**A simples arte de matar** (vol.2) – R. Chandler
773.**Snoopy: No mundo da lua! (8)** – Charles Schulz
774.**Os Quatro Grandes** – Agatha Christie
775.**Um brinde de cianureto** – Agatha Christie
776.**Súplicas atendidas** – Truman Capote
777.**Ainda restam aveleiras** – Simenon
778.**Maigret e o ladrão preguiçoso** – Simenon
779.**A viúva imortal** – Millôr Fernandes
780.**Cabala** – Roland Goetschel
781.**Capitalismo** – Claude Jessua
782.**Mitologia grega** – Pierre Grimal
783.**Economia: 100 palavras-chave** – Jean-Paul Betbèze
784.**Marxismo** – Henri Lefebvre
785.**Punição para a inocência** – Agatha Christie
786.**A extravagância do morto** – Agatha Christie
787(13).**Cézanne** – Bernard Fauconnier
788.**A identidade Bourne** – Robert Ludlum
789.**Da tranquilidade da alma** – Sêneca
790.**Um artista da fome** *seguido de* **Na colônia penal e outras histórias** – Kafka
791.**Histórias de fantasmas** – Charles Dickens
792.**A louca de Maigret** – Simenon
793.**O amigo de infância de Maigret** – Simenon
794.**O revólver de Maigret** – Simenon
795.**A fuga do sr. Monde** – Simenon
796.**O Uraguai** – Basílio da Gama
797.**A mão misteriosa** – Agatha Christie
798.**Testemunha ocular do crime** – Agatha Christie
799.**Crepúsculo dos ídolos** – Friedrich Nietzsche
800.**Maigret e o negociante de vinhos** – Simemon
801.**Maigret e o mendigo** – Simenon
802.**O grande golpe** – Dashiell Hammett
803.**Humor barra pesada** – Nani
804.**Vinho** – Jean-François Gautier
805.**Egito Antigo** – Sophie Desplancques
806(14).**Baudelaire** – Jean-Baptiste Baronian
807.**Caminho da sabedoria, caminho da paz** – Dalai Lama e Felizitas von Schönborn
808.**Senhor e servo e outras histórias** – Tolstói
809.**Os cadernos de Malte Laurids Brigge** – Rilke
810.**Dilbert (5)** – Scott Adams
811.**Big Sur** – Jack Kerouac
812.**Seguindo a correnteza** – Agatha Christie
813.**O álibi** – Sandra Brown
814.**Montanha-russa** – Martha Medeiros
815.**Coisas da vida** – Martha Medeiros
816.**A cantada infalível** *seguido de* **A mulher do centroavante** – David Coimbra
817.**Maigret e os crimes do cais** – Simenon
818.**Sinal vermelho** – Simenon
819.**Snoopy: Pausa para a soneca (9)** – Charle Schulz
820.**De pernas pro ar** – Eduardo Galeano
821.**Tragédias gregas** – Pascal Thiercy
822.**Existencialismo** – Jacques Colette
823.**Nietzsche** – Jean Granier
824.**Amar ou depender?** – Walter Riso
825.**Darmapada: A doutrina budista em versos**
826.**J'Accuse...! – a verdade em marcha** – Zola
827.**Os crimes ABC** – Agatha Christie
828.**Um gato entre os pombos** – Agatha Christie
829.**Maigret e o sumiço do sr. Charles** – Simeno
830.**Maigret e a morte do jogador** – Simenon
831.**Dicionário de teatro** – Luiz Paulo Vasconcellos
832.**Cartas extraviadas** – Martha Medeiros
833.**A longa viagem de prazer** – J. J. Morosoli
834.**Receitas fáceis** – J. A. Pinheiro Machado
835.(14).**Mais fatos & mitos** – Dr. Fernando Lucches
836.(15).**Boa viagem!** – Dr. Fernando Lucchese
837.**Aline: Finalmente nua!!! (4)** – Adão Iturrusgara
838.**Mônica tem uma novidade!** – Mauricio de Sous
839.**Cebolinha em apuros!** – Mauricio de Sousa
840.**Sócios no crime** – Agatha Christie
841.**Bocas do tempo** – Eduardo Galeano
842.**Orgulho e preconceito** – Jane Austen
843.**Impressionismo** – Dominique Lobstein
844.**Escrita chinesa** – Viviane Alleton
845.**Paris: uma história** – Yvan Combeau
846(15).**Van Gogh** – David Haziot
847.**Maigret e o corpo sem cabeça** – Simenon
848.**Portal do destino** – Agatha Christie
849.**O futuro de uma ilusão** – Freud
850.**O mal-estar na cultura** – Freud
851.**Maigret e o matador** – Simenon
852.**Maigret e o fantasma** – Simenon
853.**Um crime adormecido** – Agatha Christie
854.**Satori em Paris** – Jack Kerouac
855.**Medo e delírio em Las Vegas** – Hunter Thompso
856.**Um negócio fracassado e outros contos d humor** – Tchékhov
857.**Mônica está de férias!** – Mauricio de Sousa
858.**De quem é esse coelho?** – Mauricio de Sous
859.**O burgomestre de Furnes** – Simenon
860.**O mistério Sittaford** – Agatha Christie
861.**Manhã transfigurada** – Luiz Antonio de Ass Brasil
862.**Alexandre, o Grande** – Pierre Briant
863.**Jesus** – Charles Perrot
864.**Islã** – Paul Balta
865.**Guerra da Secessão** – Farid Ameur
866.**Um rio que vem da Grécia** – Cláudio Moren
867.**Maigret e os colegas americanos** – Simenor
868.**Assassinato na casa do pastor** – Agatha Christi
869.**Manual do líder** – Napoleão Bonaparte
870(16).**Billie Holiday** – Sylvia Fol
871.**Bidu arrasando!** – Mauricio de Sousa
872.**Desventuras em família** – Mauricio de Sous
873.**Liberty Bar** – Simenon
874.**E no final a morte** – Agatha Christie
875.**Guia prático do Português correto – vol. 4** Cláudio Moreno

76.**Dilbert (6)** – Scott Adams
77(17).**Leonardo da Vinci** – Sophie Chauveau
78.**Bella Toscana** – Frances Mayes
79.**A arte da ficção** – David Lodge
80.**Striptiras (4)** – Laerte
81.**Skrotinhos** – Angeli
82.**Depois do funeral** – Agatha Christie
83.**Radicci 7** – Iotti
84.**Walden** – H. D. Thoreau
85.**Lincoln** – Allen C. Guelzo
86.**Primeira Guerra Mundial** – Michael Howard
87.**A linha de sombra** – Joseph Conrad
88.**O amor é um cão dos diabos** – Bukowski
89.**Maigret sai em viagem** – Simenon
90.**Despertar: uma vida de Buda** – Jack Kerouac
91(18).**Albert Einstein** – Laurent Seksik
92.**Hell's Angels** – Hunter Thompson
93.**Ausência na primavera** – Agatha Christie
94.**Dilbert (7)** – Scott Adams
95.**Ao sul de lugar nenhum** – Bukowski
96.**Maquiavel** – Quentin Skinner
97.**Sócrates** – C.C.W. Taylor
98.**A casa do canal** – Simenon
99.**O Natal de Poirot** – Agatha Christie
)0.**As veias abertas da América Latina** – Eduardo Galeano
)1.**Snoopy: Sempre alerta! (10)** – Charles Schulz
)2.**Chico Bento: Plantando confusão** – Mauricio de Sousa
)3.**Penadinho: Quem é morto sempre aparece** – Mauricio de Sousa
)4.**A vida sexual da mulher feia** – Claudia Tajes
)5.**100 segredos de liquidificador** – José Antonio Pinheiro Machado
)6.**Sexo muito prazer 2** – Laura Meyer da Silva
)7.**Os nascimentos** – Eduardo Galeano
)8.**As caras e as máscaras** – Eduardo Galeano
)9.**O século do vento** – Eduardo Galeano
0.**Poirot perde uma cliente** – Agatha Christie
1.**Cérebro** – Michael O'Shea
2.**O escaravelho de ouro e outras histórias** – Edgar Allan Poe
3.**Piadas para sempre (4)** – Visconde da Casa Verde
4.**100 receitas de massas light** – Helena Tonetto
5(19).**Oscar Wilde** – Daniel Salvatore Schiffer
6.**Uma breve história do mundo** – H. G. Wells
7.**A Casa do Penhasco** – Agatha Christie
8.**Maigret e o finado sr. Gallet** – Simenon
9.**John M. Keynes** – Bernard Gazier
20(20).**Virginia Woolf** – Alexandra Lemasson
21.**Peter e Wendy** *seguido de* **Peter Pan em Kensington Gardens** – J. M. Barrie
22.**Aline: numas de colegial (5)** – Adão Iturrusgarai
3.**Uma dose mortal** – Agatha Christie
4.**Os trabalhos de Hércules** – Agatha Christie
5.**Maigret na escola** – Simenon
6.**Kant** – Roger Scruton
7.**A inocência do Padre Brown** – G.K. Chesterton
8.**Casa Velha** – Machado de Assis
9.**Marcas de nascença** – Nancy Huston
0.**Aulete de bolso**
1.**Hora Zero** – Agatha Christie
932.**Morte na Mesopotâmia** – Agatha Christie
933.**Um crime na Holanda** – Simenon
934.**Nem te conto, João** – Dalton Trevisan
935.**As aventuras de Huckleberry Finn** – Mark Twain
936(21).**Marilyn Monroe** – Anne Plantagenet
937.**China moderna** – Rana Mitter
938.**Dinossauros** – David Norman
939.**Louca por homem** – Claudia Tajes
940.**Amores de alto risco** – Walter Riso
941.**Jogo de damas** – David Coimbra
942.**Filha é filha** – Agatha Christie
943.**M ou N?** – Agatha Christie
944.**Maigret se defende** – Simenon
945.**Bidu: diversão em dobro!** – Mauricio de Sousa
946.**Fogo** – Anaïs Nin
947.**Rum: diário de um jornalista bêbado** – Hunter Thompson
948.**Persuasão** – Jane Austen
949.**Lágrimas na chuva** – Sergio Faraco
950.**Mulheres** – Bukowski
951.**Um pressentimento funesto** – Agatha Christie
952.**Cartas na mesa** – Agatha Christie
953.**Maigret em Vichy** – Simenon
954.**O lobo do mar** – Jack London
955.**Os gatos** – Patricia Highsmith
956(22).**Jesus** – Christiane Rancé
957.**História da medicina** – William Bynum
958.**O Morro dos Ventos Uivantes** – Emily Brontë
959.**A filosofia na era trágica dos gregos** – Nietzsche
960.**Os treze problemas** – Agatha Christie
961.**A massagista japonesa** – Moacyr Scliar
962.**A taberna dos dois tostões** – Simenon
963.**Humor do miserê** – Nani
964.**Todo o mundo tem dúvida, inclusive você** – Édison Oliveira
965.**A dama do Bar Nevada** – Sergio Faraco
966.**O Smurf Repórter** – Peyo
967.**O Bebê Smurf** – Peyo
968.**Maigret e os flamengos** – Simenon
969.**O psicopata americano** – Bret Easton Ellis
970.**Ensaios de amor** – Alain de Botton
971.**O grande Gatsby** – F. Scott Fitzgerald
972.**Por que não sou cristão** – Bertrand Russell
973.**A Casa Torta** – Agatha Christie
974.**Encontro com a morte** – Agatha Christie
975(23).**Rimbaud** – Jean-Baptiste Baronian
976.**Cartas na rua** – Bukowski
977.**Memória** – Jonathan K. Foster
978.**A abadia de Northanger** – Jane Austen
979.**As pernas de Úrsula** – Claudia Tajes
980.**Retrato inacabado** – Agatha Christie
981.**Solanin (1)** – Inio Asano
982.**Solanin (2)** – Inio Asano
983.**Aventuras de menino** – Mitsuru Adachi
984(16).**Fatos & mitos sobre sua alimentação** – Dr. Fernando Lucchese
985.**Teoria quântica** – John Polkinghorne
986.**O eterno marido** – Fiódor Dostoiévski
987.**Um safado em Dublin** – J. P. Donleavy
988.**Mirinha** – Dalton Trevisan
989.**Akhenaton e Nefertiti** – Carmen Seganfredo e A. S. Franchini

990.**On the Road – o manuscrito original** – Jack Kerouac
991.**Relatividade** – Russell Stannard
992.**Abaixo de zero** – Bret Easton Ellis
993(24).**Andy Warhol** – Mériam Korichi
994.**Maigret** – Simenon
995.**Os últimos casos de Miss Marple** – Agatha Christie
996.**Nico Demo** – Mauricio de Sousa
997.**Maigret e a mulher do ladrão** – Simenon
998.**Rousseau** – Robert Wokler
999.**Noite sem fim** – Agatha Christie
1000.**Diários de Andy Warhol (1)** – Editado por Pat Hackett
1001.**Diários de Andy Warhol (2)** – Editado por Pat Hackett
1002.**Cartier-Bresson: o olhar do século** – Pierre Assouline
1003.**As melhores histórias da mitologia: vol. 1** – A.S. Franchini e Carmen Seganfredo
1004.**As melhores histórias da mitologia: vol. 2** – A.S. Franchini e Carmen Seganfredo
1005.**Assassinato no beco** – Agatha Christie
1006.**Convite para um homicídio** – Agatha Christie
1007.**Um fracasso de Maigret** – Simenon
1008.**História da vida** – Michael J. Benton
1009.**Jung** – Anthony Stevens
1010.**Arsène Lupin, ladrão de casaca** – Maurice Leblanc
1011.**Dublinenses** – James Joyce
1012.**120 tirinhas da Turma da Mônica** – Mauricio de Sousa
1013.**Antologia poética** – Fernando Pessoa
1014.**A aventura de um cliente ilustre** ***seguido de*** **O último adeus de Sherlock Holmes** – Sir Arthur Conan Doyle
1015.**Cenas de Nova York** – Jack Kerouac
1016.**A corista** – Anton Tchékhov
1017.**O diabo** – Leon Tolstói
1018.**Fábulas chinesas** – Sérgio Capparelli e Márcia Schmaltz
1019.**O gato do Brasil** – Sir Arthur Conan Doyle
1020.**Missa do Galo** – Machado de Assis
1021.**O mistério de Marie Rogêt** – Edgar Allan Poe
1022.**A mulher mais linda da cidade** – Bukowski
1023.**O retrato** – Nicolai Gogol
1024.**O conflito** – Agatha Christie
1025.**Os primeiros casos de Poirot** – Agatha Christie
1026.**Maigret e o cliente de sábado** – Simenon
1027(25).**Beethoven** – Bernard Fauconnier
1028.**Platão** – Julia Annas
1029.**Cleo e Daniel** – Roberto Freire
1030.**Til** – José de Alencar
1031.**Viagens na minha terra** – Almeida Garrett
1032.**Profissões para mulheres e outros artigos feministas** – Virginia Woolf
1033.**Mrs. Dalloway** – Virginia Woolf
1034.**O cão da morte** – Agatha Christie
1035.**Tragédia em três atos** – Agatha Christie
1036.**Maigret hesita** – Simenon
1037.**O fantasma da Ópera** – Gaston Leroux
1038.**Evolução** – Brian e Deborah Charlesworth
1039.**Medida por medida** – Shakespeare
1040.**Razão e sentimento** – Jane Austen
1041.**A obra-prima ignorada** ***seguido de*** **Un episódio durante o Terror** – Balzac
1042.**A fugitiva** – Anaïs Nin
1043.**As grandes histórias da mitologia greco-romana** – A. S. Franchini
1044.**O corno de si mesmo & outras historietas** Marquês de Sade
1045.**Da felicidade** ***seguido de*** **Da vida retirad** – Sêneca
1046.**O horror em Red Hook e outras história** – H. P. Lovecraft
1047.**Noite em claro** – Martha Medeiros
1048.**Poemas clássicos chineses** – Li Bai, Du F e Wang Wei
1049.**A terceira moça** – Agatha Christie
1050.**Um destino ignorado** – Agatha Christie
1051(26).**Buda** – Sophie Royer
1052.**Guerra fria** – Robert J. McMahon
1053.**Simons's Cat: as aventuras de um gato tra vesso e comilão – vol. 1** – Simon Tofield
1054.**Simons's Cat: as aventuras de um gato tra vesso e comilão – vol. 2** – Simon Tofield
1055.**Só as mulheres e as baratas sobreviverã** – Claudia Tajes
1056. **Maigret e o ministro** – Simenon
1057.**Pré-história** – Chris Gosden
1058.**Pintou sujeira!** – Mauricio de Sousa
1059.**Contos de Mamãe Gansa** – Charles Perrau
1060.**A interpretação dos sonhos: vol. 1** – Freud
1061.**A interpretação dos sonhos: vol. 2** – Freud
1062.**Frufru, Rataplã, Dolores** – Dalton Trevisa
1063.**As melhores histórias da mitologia egípcia** Carmem Seganfredo e A.S. Franchini
1064.**Infância. Adolescência. Juventude** – Tolst
1065.**As consolações da filosofia** – Alain de Botto
1066.**Diários de Jack Kerouac – 1947-1954**
1067.**Revolução Francesa – vol. 1** – Max Gallo
1068.**Revolução Francesa – vol. 2** – Max Gallo
1069.**O detetive Parker Pyne** – Agatha Christie
1070.**Memórias do esquecimento** – Flávio Tavar
1071.**Drogas** – Leslie Iversen
1072.**Manual de ecologia (vol.2)** – J. Lutzenberg
1073.**Como andar no labirinto** – Affonso Romar de Sant'Anna
1074.**A orquídea e o serial killer** – Jurem Machado da Silva
1075.**Amor nos tempos de fúria** – Lawren Ferlinghetti
1076.**A aventura do pudim de Natal** – Agatha Chris
1077.**Maigret no Picratt's** – Simenon
1078.**Amores que matam** – Patricia Faur
1079.**Histórias de pescador** – Mauricio de Sous
1080.**Pedaços de um caderno manchado de vin** – Bukowski
1081.**A ferro e fogo: tempo de solidão (vol.1)** Josué Guimarães
1082.**A ferro e fogo: tempo de guerra (vol.2)** Josué Guimarães
1083.**Carta a meu juiz** – Simenon
1084(17).**Desembarcando o Alzheimer** – Dr. Fe nando Lucchese e Dra. Ana Hartmann
1085.**A maldição do espelho** – Agatha Christie
1086.**Uma breve história da filosofia** – Nig Warburton

COLEÇÃO 64 PÁGINAS
LIVROS QUE CUSTAM SEMPRE R$ 5,00!
Gogol
Martha Medeiros
H. P. LOVECRAFT
O horror em Red Hook
DO TAMANHO DO SEU TEMPO.
E DO SEU BOLSO
E-BOOKS R$ 3,00!
L&PM POCKET

IMPRESSÃO:

GRÁFICA EDITORA
Pallotti
IMAGEM DE QUALIDADE

Santa Maria - RS - Fone/Fax: (55) 3220.4500
www.pallotti.com.br